Le silences des rives

Première édition : Stock, 1993.

© Éditions Elyzad, 2018
4, rue d'Alger, 1000 Tunis
www.elyzad.com

Leïla Sebbar

# Le silence des rives

roman

elyzad *poche*

I

À la courbe du fleuve, il est tombé.

Qui viendra sur l'autre rive, dans la chambre blanche où je suis seul, depuis combien de jours, murmurer à mon oreille la prière des morts ?
Qui me dira les mots de ma mère ?

1

Qui saura me parler, loin d'elle, enterrée déjà
et je ne le sais pas, près du petit sanctuaire de
pierres sèches dans le cimetière marin, à l'ombre,
contre la tombe de sa mère, là où repose la mère
de sa mère.

Les jours de lessive, assise sur la natte d'alfa
devant la bassine de linge, appuyée contre la colonne fêlée en plusieurs endroits, sa mère disait,
parlant aux femmes de la famille, riant à travers
ses larmes, qu'elles seraient un jour écrasées par
les colonnes trop fragiles pour soutenir longtemps une maison qu'on abandonne. Tout est
vieux, personne ne s'occupe de la maison que les
femmes habitent et qu'elles repeignent à la chaux
blanche avec des bandes bleues en bas du mur
pour cacher la lèpre. Est-ce que sa mère écoutait

ce que racontaient les belles-sœurs, les voisines, jeunes et moins jeunes, insouciantes et qui ne savaient pas qu'elles mourraient sous les décombres sans tremblement de terre, parce que les hommes avaient oublié la maison, soucieux seulement du corps de leur femme, la nuit, lorsqu'ils arrivaient en douce, mais elle se réveillait du plus profond sommeil, au glissement furtif des pieds nus sur le carrelage jusqu'à la couche haute. Elle savait, elle... sa mère... Et ses prédictions, que les femmes se sont mises à redouter aux premiers craquements des colonnes, ne disaient pas seulement la mort sous les pierres et les tuiles, elles annonçaient sa propre mort et ce qu'il faudrait faire, mais qui le ferait ? Si pas une à ce moment-là ne l'écoutait, si pas une ne lui offrait ses gestes sereins, bienfaisants, pour la porter en terre comme il convient, dans le linceul qu'elle a caché dans son trousseau de mariée, acheté en secret chez l'épicier marchand de drap, elle a donné la mesure, il a préparé la pièce du tissu le plus beau, le plus blanc, du lin tissé et blanchi, il l'a enveloppé dans un papier grossier, épais, celui du boucher, gris avec des éclats noirs ou bleu nuit. Au fond du coffre dans une couverture fine en laine tissée par sa mère, elle a camouflé le linceul entre deux pièces de service de table, à côté du linge, sous le carré tissé par les filles, elle et ses sœurs, pour la nuit de leurs noces... Laquelle a taché le mouchoir vierge, avec du sang de poulet ou de pigeon ou de colombe, suivant les oiseaux de la basse-cour ou de la volière de la grand-mère ? Pas elle. Elle a agi suivant les règles, attendant le jour et l'heure de la nuit pour se laisser aimer par l'homme qu'on lui a choisi et qu'elle n'a pas aimé. Pour la veiller, la laver, l'épiler partout et la parfumer, l'habiller et l'enfermer dans le beau drap blanc, réciter les prières et surveiller les vieilles femmes, les vagabondes impies qui risquent de recueillir l'eau qui a lavé le corps sur la pierre, avant de le déposer sur la civière en bois, sa mère répète qu'elle veut une fille jeune et si ce n'est pas une vierge, que ce soit une femme qui est restée pure plusieurs jours comme au mois de Ramadhan, que cette femme-là, si elle existe, soit auprès d'elle agonisante, à sa mort et après, jusqu'à la mise en terre. Qu'elle ne pleure pas, qu'elle lui parle dans la langue de l'enfance, qu'elle récite les poèmes appris dans les livres, et les versets les plus beaux, qu'elle les dise comme si elle chantait, après qu'elle aura fait sortir les femmes, toutes les femmes, ses sœurs encore vivantes, sa mère sera morte déjà, puisqu'elle l'attend au pied du marabout sur la colline qui domine la mer dans le cimetière marin, elle sait exactement où. Que pas une femme ne reste, ni ces laveuses de morts qu'elle chassera malgré leurs cris de sorcières, elle n'en veut pas. Elle l'a dit à son fils, l'aîné, celui qui marche le long du fleuve, de l'autre côté de la mer. Elle l'attend.

Il a disparu un matin, elle ne sait pas où, elle ne l'a pas revu, elle l'attend.

2

L'homme marche le long du fleuve.

Sa mère lui a raconté, si souvent...

Les trois sœurs étaient là pour la mère de sa mère, elle, petite fille terrorisée par ces femmes vieilles qui auraient dû être mortes depuis longtemps. Elles s'étaient installées dans la maison, dans la chambre de la grand-mère, celle qui ouvre sur la fontaine, l'eau coulait encore, la chambre la plus grande, la plus claire, la plus belle, des femmes du malheur. Elle les a vues arriver au bout de la rue, elle a compris parce que les enfants couraient sans crier, ils avaient peur, ils savaient ce que veulent ces femmes. Elles étaient trois, toujours ensemble, marchant à pied, l'une d'elles la main crispée sur la canne en bois d'olivier, à la mort de la vieille tante, elle a demandé cette canne qu'elle convoitait depuis longtemps, elle boitait déjà, on la lui a donnée, malgré les protestations des enfants de la tante, elle aurait maudit la famille, elle connaît toutes les formules et les rites qui appellent le malheur, elle a pris la canne sans un mot, et elle revient chaque fois, pourquoi ne meurt-elle jamais... Elles sont trois, on dit qu'elles sont sœurs, mais qui les connaît ? Elles viennent de loin, personne ne sait où se trouve leur village natal, elles ne disent rien d'elles, pas même leurs prénoms, on les appelle – les sœurs – lorsqu'elles arrivent dans le village, on ignore de qui elles sont les filles. Les sorcières ont une mère ? Elles sont les filles d'un homme et d'une femme ? Sans famille, sans enfants, des vagabondes qui vont de maison en maison sans se tromper, elles vont là où meurt une femme... un homme... un enfant. Elles savent. Petite fille, elle se demandait si ces femmes étaient mortelles comme les autres, la tante, la grand-mère, une vieille cousine orpheline que la famille avait recueillie pour s'occuper de la maison et des enfants. Elles marchent au rythme de la boiteuse, celle qui commande. Les enfants se sauvent, disparaissent derrière les murs des maisons, guettent les sœurs depuis le portail entrouvert, chuchotent, commentent pour les femmes accourues du fond de la grande maison, les plus jeunes regardent de la terrasse où elles ont abandonné les piments à trier, les raisins secs. La moins vieille porte le balluchon passé dans un bâton avec lequel elle chasse les enfants les plus hardis, des garçons qu'elles n'impressionnent pas, ils ne sont pas nombreux. On les entend parler, elles se dirigent vers la maison au portail vert où l'aïeule agonise. Qui comprend ce qu'elles se disent ? Comme si elles parlaient une autre langue, les femmes écoutent sans saisir le sens de la parole obscure, noire comme les pièces d'étoffe qu'elles portent, les mêmes depuis des années. Le tissu noir, usé, poussiéreux est devenu vert-de-gris. Personne ne va au-devant d'elles. Les femmes autour de l'agonisante les attendent dans la cour, près de la fontaine. L'aïeule entend encore l'eau qui coule, c'est elle qui a exigé, chaque fois, qu'on répare la fontaine, pour le bruit de l'eau, et parce qu'elle rinçait les figues sous le jet clair avant de les manger, à l'aube. Elle meurt le premier jour de l'été, les figues-fleurs sont encore vertes, mais l'eau de la fontaine coule pour elle, couchée dans la chambre ouverte. Elle est allongée sur le sofa, son matelas posé sur la pierre en face de la fontaine carrelée de mosaïques anciennes bleues et vertes, on voit à peine les couleurs. Elle n'entend pas le pas des sœurs qui entrent dans la maison. Elles ne parlent plus, ni les femmes qui les attendaient. Les sœurs s'inclinent devant la plus vieille qui les précède dans la chambre de l'ancêtre. La petite fille suit celles qu'elle appelle les sorcières, dissimulée dans les plis de la robe maternelle arrêtée sur le seuil de la chambre. Elles se sont assises au pied de la couche où geint doucement la vieille femme. Elles balancent le corps d'avant en arrière, récitant des paroles qui n'ont pas l'air d'être des mots de la langue qu'elle entend et qu'elle parle, dans la maison de sa grand-mère. Elles récitent longtemps, patientes, dans une langue qui n'est pas d'ici, est-ce la langue des versets sacrés, est-ce la langue que parlent entre elles les sorcières, mais qu'adviendra-t-il de la grand-mère, si les sœurs ne disent pas ce qu'il faut pour qu'elle soit à la droite de Dieu ? La petite fille pense que sa grand-mère sera la première, parmi les femmes et les hommes, à occuper la meilleure place. Ces femmes assises en tailleur et qui parlent, les yeux clos, au bout du sofa, savent-elles ce qu'elles disent ? Est-ce

qu'elles disent ce qu'elles doivent ? Qui le saura ?
Leur langue est secrète. Les femmes de la maison
ne s'inquiètent pas assez de ce que récitent les
sœurs qui reviendront aussi pour elles. La petite
fille regarde sa mère, debout sur le seuil de la
chambre, près de la cousine, elle tire sur sa robe
pour l'avertir, lui dire de se méfier des paroles
étrangères qui pourraient faire du mal à la grand-
mère, mais elle laisse les femmes se balancer et
répéter des litanies bizarres, la mère met sa main
sur la bouche de la petite fille, personne ne doit
parler, les sœurs savent ce qu'elles font, elles ont
toujours fait ainsi, elles continueront jusqu'à la
fin. Et qui s'occupera de la dernière, celle qui sera
morte après les deux autres, qui ? On laissera son
corps aux chacals, dans les collines, ou bien elle
aura rencontré une autre sœur avec laquelle elle
marchera à travers terres et villages, d'un mort à
l'autre pour le laver, avec des gestes et des mots
convenus que les autres ne connaissent pas. Au
bruit que fait la bouche de l'aïeule, elles savent
qu'elle vient de mourir. Elles cessent soudain les
prières, se lèvent et se penchent sur la morte, trois
ombres noires qui empêchent la petite fille de voir
sa grand-mère. Elle voulait tenir sa main, on l'a
éloignée, elle voulait lui parler, on lui a dit de se
taire, à cause des sœurs qui s'agitent maintenant

autour du corps qu'elle ne voit pas. Sa mère la repousse brutalement, lui ordonne de rejoindre les enfants dans l'autre cour et elle entre à son tour avec les femmes dans la chambre funèbre. On entend des cris, des pleurs. La petite fille reconnaît la voix stridente des sorcières qui vont par les chemins, les bois, les plateaux et les déserts, sans maison, parlant aux chacals et aux hyènes, déterrant les cadavres dans les cimetières la nuit, coupant des mains pour des potions diaboliques, étouffant serpents et crapauds, colportant partout où elles s'arrêtent la mauvaise nouvelle et le mauvais œil. Les femmes de la maison les laissent crier, pleurer, que deviendra sa grand-mère accompagnée de ces lamentations maudites, elle aimait le bruit de l'eau, le bruit de la fontaine. Elle, sa petite-fille préférée, lui aurait récité les plus beaux versets du livre sacré en tenant sa main brune et fine. Elle ne peut plus entendre ces vociférations que reprennent les autres femmes et sa mère ; elle se sauve, elle ne reste pas avec les enfants dans la cour à l'arrière de la maison. Ils jouent, ils rient, personne ne la surveille, elle franchit le portail et court sans s'arrêter jusqu'à la colline qui surplombe la mer. Elle n'entre pas dans le cimetière, elle ira plus tard avec les femmes, pour mettre de l'eau dans le creux réservé aux oiseaux et déposer une branche fraîche de myrte ou d'olivier, elle s'assoira à l'ombre du marabout contre la tombe de l'aïeule à qui elle parlera en secret. Elle s'arrête sous l'arbre au pied de la colline, un cyprès contre lequel elle a souvent pleuré. Elle est seule, l'arbre la protège des cris, elle pleure, assise face à la mer. Lorsqu'elle revient vers la maison, elle sait qu'elle a déjà choisi sa place contre le marabout en pierres sèches, près de sa grand-mère. Et ces femmes noires, ces sorcières, seront mortes, elles seront les dernières laveuses de morts. Pour elle, depuis ce jour-là, elle répète qu'elle n'en veut pas, elle les chassera, moribonde, elle se lèvera pour leur interdire l'entrée de sa chambre, celle qui ouvre sur la fontaine qui ne sera pas encore tarie. C'est l'été. Le premier jour de l'été. Il fait doux la nuit. La petite fille monte jusqu'à la terrasse où on a laissé les nattes et les tapis, les enfants dormiront là avec les deux orphelines domestiques à peine plus âgées qu'eux. Les sœurs des chemins qui vont pieds nus, enveloppées dans les voiles déchirés, la tête couverte de foulards noirs, s'ils ne sont pas noirs, elle les voit noirs comme des lambeaux de vieux tissus qu'on jette sur le tas d'ordures loin du village, sont assises dans la chambre, autour de la table basse. Les femmes les servent ; elles sont goulues et réclament du café toute la nuit. Elles ne dorment jamais. Les enfants sur la terrasse ont veillé tard pour attendre les mères qui ne viendront pas cette nuit, ni la suivante, dévouées aux trois sœurs qui dirigent la cérémonie des femmes. Elles psalmodient longtemps avant de s'endormir, à l'aube, chacune sur une natte au pied du sofa où repose l'ancêtre, nouée dans le linceul, le même que celui de sa fille et la fille de sa fille.

3

Les sœurs ont emporté de la nourriture dans l'unique balluchon au bout du bâton, l'argent elles le cachent dans une bourse en cuir contre leur poitrine sèche. Les rues du village sont vides, les chiens ni les garçons ne les poursuivent, on entend la canne de la boiteuse, elles ne parlent pas. Les enfants ont déserté les ruines romaines, le long de la mer, les sœurs marchent vers les arènes et à l'ombre des colonnes, elles s'assoient. Trois jours durant, la ville entière sera leur ville, jusqu'au prochain mort, au-delà de la colline où on commence à battre le blé, on entend les hommes qui conduisent les bêtes. L'une d'elles tourne la tête vers des cris, là-haut, on perçoit comme une rumeur, lorsque la plus jeune se penche vers les aînées pour leur parler du village vers lequel elles vont monter par les chemins de terre, au crépuscule, elles voient la nuit... Des enfants les guettent derrière les branches de romarin dans le bruit doux des abeilles. Des pêcheurs qui habitent non loin des ruines qu'on n'a pas encore clôturées, ont fabriqué des ruches et leurs abeilles vont entre lavande et romarin. Elles attendent, le visage levé vers la colline, de l'autre côté de la route, patientes. L'air marin ne les empêche pas de humer l'odeur des terres à l'intérieur. Elles restent ainsi longtemps, en silence, jusqu'au moment où la plus vieille lève l'index comme pour dire d'où vient la mort. Les sœurs murmurent. Il fait nuit. Elles ne se sont pas levées. Les enfants ne sont plus là. Les paysans là-haut ont cessé le travail mais ils veillent. Les sœurs dispersent les os de volaille et les miettes de pain, secouent les plis des robes et des voiles et se mettent en route vers la mer. L'une derrière l'autre, elles vont jusqu'à la première vague, se penchent au-dessus de l'écume qu'elles recueillent dans le creux de la main pour la passer sur le visage. Elles sont seules sur la grève. Chacune poursuit ses ablutions lentes et mesurées. La nuit est noire et l'écume à leurs pieds, lumineuse. Sur les pavés de la voie romaine, la canne en bois d'olivier marque le pas de la plus vieille, inégal. Elles s'arrêtent près d'un autel, à un endroit protégé par des murs encore debout. Sur un mouchoir, qu'elles tirent du balluchon, un mouchoir propre qu'on leur a donné dans la maison de l'aïeule dont on a recouvert la tombe fraîche de genêts épineux pour éviter la profanation des chacals, elles font la dernière prière avant la montée laborieuse jusqu'à l'aire de battage, devant la maison du moribond, un enfant ou une femme. Plutôt un enfant, petit, à cause des plaintes qu'elles ont entendues dans l'après-midi, entre les cris des hommes au travail et les lamentations d'une mère, elles ne se trompent pas. Elles ont parlé entre elles, l'oreille attentive à la voix de la douleur, la plus vieille a tranché, elle a toujours raison, elle a dit que c'est un enfant, un garçon, le premier-né, il n'est pas mort-né, il a été écrasé par le sabot d'un cheval pendant qu'on battait les blés, il avait deux ans. Il n'aurait pas dû être avec les hommes et les bêtes à l'heure où le soleil est le plus chaud. Il s'est sauvé. Sa mère et les femmes ont pu seulement crier et pleurer.

L'enfant est en train de mourir, il sera mort lorsqu'elles arriveront à la maison, par les chemins tracés entre les terres à blé. On a lâché les chevaux. Lorsqu'elles passent dans le creux du vallon, les chevaux se lèvent, viennent à elles. Elles n'ont pas peur. Jeunes, on raconte qu'elles ont galopé, habillées en cavalier arabe sur les hauts-plateaux et jusqu'aux villes du désert, où elles allaient au pas le long des immenses cimetières, dans les sables, avant de se reposer auprès d'un marabout vert et or au coucher du soleil. Elles font une halte sous l'olivier géant, entre deux tertres, avant les premières maisons. Les chevaux sont debout face à elles qui caressent leurs museaux, à petits coups. Les bêtes les suivent au bord du sentier de terre et s'arrêtent à l'aire de battage, devant la maison où veillent les femmes. Les sœurs entrent dans la petite cour sans fontaine. Une femme entrouvre le rideau devant la porte de la chambre basse. La jeune mère vient vers elles, embrasse la main droite de chacune et les invite à franchir le seuil de la chambre où repose l'enfant, sur un tapis à sa mesure, un tapis de prière qui couvrira la civière de bois que les hommes porteront jusqu'au cimetière, au pied de la colline, en bordure des terres à blé.

4

Ces femmes, des sorcières qui n'ont cessé de psalmodier dans leur langue, des jours durant, la mère de celui qui marche le long du fleuve ne veut pas les voir lorsque la mort la prendra, elle, dans la maison de la mère de sa mère et d'autres mères encore avant. Elle est si vieille la maison, les hommes partent loin travailler, et ils oublient que leurs femmes vivent là, sans protection, les murs se lézardent et les colonnes, la terrasse n'est plus sûre, la fontaine ne coule plus, et même le figuier va mourir, il donne encore des figues, mais chaque année on dit que c'est la dernière et c'est faux, il est solide, plus que la maison que les hommes ne prennent pas le temps de réparer, ils disent qu'ils n'ont pas l'argent, ils vont au-delà des mers le gagner, ils reviennent et ils ne pensent à rien qu'à faire encore et encore des enfants. Elle l'a dit, qu'elles mourront toutes, écrasées, les mères, les filles, les épouses, les sœurs, les belles-sœurs, les cousines, les tantes, les hommes ne retrouve-ront que la pierre friable, elles, dessous, pourris-santes, ils ne leur feront plus un seul enfant. Elle rit lorsqu'elle parle ainsi, mais les autres femmes ne rient pas, elles murmurent entre elles que leur jeune sœur est peut-être possédée, elle ne sait pas ce qu'elle dit, il faudrait consulter un marabout ou la magicienne. Sa mère ne les écoute pas, et parle seulement de la catastrophe imminente, parce que les hommes les ont abandonnées, et même si elle n'aime pas son mari, il ne doit pas la laisser mourir sans sépulture. Les femmes ont peur mais elle est la plus forte, la seule capable de prédire l'avenir, de prévenir, de peindre avec la chaux et la peinture bleue pour ne pas mourir de honte. La seule qui ose parler de sa mort et dire ce qu'elle veut et ce qu'elle ne veut pas pour ce moment-là. Les hommes, ils sont jeunes, c'est vrai, ils ne vont pas mourir maintenant, ils reviendront pour elles, les aimer dans la chambre sous un toit qui s'effondrera bientôt, mais ces hommes, si l'un d'eux meurt loin, de l'autre côté de la mer, les pères, les maris, les fils, les cousins, les frères, les oncles parce que les fils partent eux aussi... Elle sait qu'ils partent pour rien, mais ils ne veulent pas rester, qui va les retenir si leur jeune épouse aimante et belle ne les retient pas ? Les fils ne meurent pas là-bas ? Et s'ils vieillissent sans revoir la femme, la mère, la maison, s'ils disent qu'ils viendront, l'été, et qu'on ne les voie pas, ni l'été, ni l'autre été, ni le suivant, les années passent, la mère est vieille, une mère meurt aussi.

Et lui, le fils, l'homme qui marche le long du fleuve, il oublie. Il ignore que les sœurs rôdent, on les a vues dans la région. Elles attendent pour entrer au village que la vieille maison délabrée s'écroule. Elles sauront chanter, crier, hurler, elles ne cesseront pas jusqu'à leur mort, si les hommes ne sont pas revenus à temps pour soutenir la maison et embrasser leurs femmes. Chaque jour de lessive, pourquoi ce jour-là ? il entendait les imprécations de sa mère, assis contre sa cuisse devant la bassine d'eau blanche en écume fumante.

Il allait encore au bain avec sa mère et les femmes de la grande maison.

5

Les trois femmes ont quitté le village des blés après l'enterrement de l'enfant, les hommes se disputaient pour porter pendant quelques mètres le corps déposé sur la civière trop longue, ils seraient purifiés, ils gagneraient en sagesse, la mère ni les femmes n'ont accompagné le cortège sous l'olivier, en bas de la colline, elles sont restées, debout, formant comme une barrière de crête, contre quel ennemi ? Mais les sœurs ont suivi les hommes jusqu'à la tombe, si petite, sous l'arbre, tapissée de lentisques, par-delà les meules de la veille et les dernières bottes de blé, les femmes postées en silence au bord du village ont entendu les chants funèbres des sœurs, on dit qu'elles composent des poèmes pour les morts, laquelle invente les vers qu'elles chantent où elles louent Dieu, le Prophète et les Saints, la plus jeune, paraît-il, on raconte... Qui saura jamais la vérité, l'hospitalité de la mort interdit de poser la question de la filiation à l'une quelconque de ces femmes secrètes, surgies de nulle part, au moment opportun, et qui savent les gestes, la voix, les chants, comment ne pas laisser seul celui qui n'est plus dans la vie et que l'amour en pleurs abandonne à la solitude, si elles ne sont pas là. Elles ne craignent pas le froid, ni la mort, elles touchent les corps sans vie comme s'ils vivaient, bercés par le murmure des vers chantés dans la langue de Dieu, les femmes, malgré ce qu'on raconte, obéissent aux sœurs, soumises au rite qu'elles respectent, les seules à le transmettre exactement. Qui leur a appris ? Quelles vagabondes ont pris le temps, assises dans les cimetières de sable, au pied du marabout le plus ancien dont on blanchit la coupole chaque année, de parler aux nouvelles arrivées pour dire dans leur langue, inconnue des profanes, les rites sacrés qui favorisent le mort le moins oublié, le moins seul, celui qui ne laissera pas une maison stérile, abandonnée aux hyènes. On raconte que la plus jeune des sœurs, mais sait-on laquelle est la plus jeune, il semble que les femmes le devinent sans état civil, serait celle qui compose des vers funèbres, des élégies aussi belles que des chants de noces, mais elles ne sont jamais conviées aux fêtes nuptiales, et lorsqu'un jour odieux entre tous, on les a vues entrer dans la grande salle d'un bain maure, les femmes se sont couvertes et se sont réfugiées les unes contre les autres sur les sofas de pierre au fond des alcôves, le visage caché par un pan de la fouta de bain, comme si les sœurs venaient là choisir les prochaines victimes.

# 6

Voici ce que les femmes au bain se racontaient, ne se doutant pas que l'une d'entre elles rejoindrait, un jour, dans la vieillesse et le malheur, les deux sœurs orphelines de l'aînée, la boiteuse, elles disaient, parlant toutes à la fois comme elles font toujours, assises en tailleur sur la pierre de l'estrade, les plus jeunes à leurs pieds, les écoutant sans les interrompre, que l'une des sœurs, les sœurs des morts, avait appris la poésie comme l'apprenaient autrefois les jeunes filles de l'aristocratie andalouse, dans les cours de Cordoue et de Grenade. Dans une grande maison où elle avait été recueillie en raison de sa beauté, des maîtres lui avaient enseigné, en même temps qu'aux jeunes filles de la famille, à rimer, à chanter, à jouer du luth ou de la mandoline, les avis divergeaient sur l'instrument. Comment était-elle arrivée dans cette maison ? Une nuit, on avait entendu des coups prolongés frappés à la porte cloutée de la riche demeure. Quelqu'un, durant un temps que la nuit triplait à cause du silence, avait saisi la main de cuivre et la faisait résonner à intervalles réguliers, sans s'arrêter. Le gardien avait regardé par le judas grillagé, avant d'ouvrir à une enfant qui refusait de répondre à ses questions. Son mutisme avait d'abord intrigué. On la prit pendant plusieurs semaines pour une pauvre fille sourde et muette, orpheline, abandonnée dans une ville étrangère, jusqu'au jour où on la surprit, chantant sur la terrasse, où elle dormait seule les nuits d'été. On ne lui posa plus de questions sur son père et la famille de son père. La maîtresse de maison décida de l'instruire avec ses filles, elle avait assez de servantes. L'inconnue composait des poèmes qu'elle mettait en musique avec les filles de la maison, pour des concerts intimes, dans la grande pièce décorée de mosaïques où se promenaient une gazelle, deux paons et des colombes, un patio rafraîchi par la fontaine verte et bleue, éclairé par une verrière. Elle passa plusieurs années dans la belle maison et disparut le jour de ses dix-sept ans. La famille fit entreprendre des recherches jusqu'à deux cents kilomètres autour de la ville, en vain. L'enfant trouvée ne revint jamais frapper à la porte cloutée de cuivre. Les femmes au bain se disputaient pour savoir la vérité sur ces années obscures, où personne n'entendit parler de la fugueuse, et puis un jour, on découvrit qu'elle chantait dans un cabaret de la capitale. Comment être sûr qu'il s'agissait bien de la petite fille, instruite chez des nobles, dans les arts d'agrément ? Les femmes ne mettaient nullement en doute l'identité de la chanteuse et musicienne de la maison de plaisir, célèbre, où on venait de loin pour entendre ses poèmes et ses compositions au luth ou à la mandoline. Que s'était-il passé ? Tandis que les mains amoureuses des vieilles paraient le corps d'une jeune fiancée, épilé, vierge et blanc, imberbe comme au jour de la naissance, frotté, massé, caressé, parfumé, décoré avec les précautions d'usage, les femmes qui suivaient la cérémonie exposaient, se contredisant sans cesse, l'histoire confidentielle entre la maison de famille et la maison de plaisir. Pour les unes, la jeune fille avait cherché à échapper à un mariage qu'elle jugeait indigne d'elle. On voulait la donner au palefrenier favori du maître qui possédait une ferme où il élevait des chevaux de race, alors qu'elle aimait en secret un cousin promis à l'une des filles de la maison, entrevu depuis la terrasse, dans la cour où on sellait les chevaux pour une chasse au faucon, elle aurait réussi à le retrouver près d'une fontaine, dans un village de montagne, où les chasseurs font boire leurs chevaux, il l'aurait enlevée, et ils se seraient enfuis... Poursuivis, le cousin aurait été tué et elle sans famille, sans maison, aurait vécu de ses dons dans certains cabarets de la capitale... Ou bien, suivant la version d'autres femmes du bain, elle était revenue à pied dans son village natal chez la grand-mère maternelle encore vivante, la dernière d'une famille décimée par une épidémie de choléra, elle s'était occupée de l'aïeule aveugle, elle avait pris soin d'elle jusqu'à la tombe, aidée par deux laveuses de morts dont elle avait appris les litanies funèbres, et qu'elle avait retrouvées, longtemps après les années de cabaret. Allait-elle avec les hommes, comme les autres femmes du groupe des musiciennes ? Les vieilles femmes du bain, les laveuses de fiancées, disent que non. Elles le savent. Il lui arrivait souvent de louer le bain pour elle seule. Ses servantes ne l'accompagnaient pas. Elle passait la journée avec les vieilles masseuses du bain, elle bavardait, elle mangeait les fruits qu'elles lui réservaient, elle aimait surtout les oranges-limes et les nèfles, elle buvait du thé à la menthe, les vieilles décoraient de henné roux, le meilleur, ses pieds et ses mains, lavaient ses cheveux à l'argile, se disputaient le soin de ce corps si blanc, ferme et dodu. L'une des masseuses, une ancienne esclave noire, réclamait le privilège de la laver au bord du bassin central, les vieilles disposaient les fruits et le thé sur une nappe brodée, la musicienne s'asseyait sur des coussins de soie, la négresse allait chercher un luth, les vieilles s'allongeaient sur les dalles et l'écoutaient chanter. Cela dura des années. Les masseuses attendaient avec impatience la servante qui venait les avertir du jour où la jeune femme désirait le bain maure pour elle seule. Elles la coiffaient à tour de rôle, ses longs cheveux noirs étaient si abondants, si lourds, qu'elle disait en riant aux femmes affairées aux onguents qu'elle pourrait, comme la princesse d'un poème ancien qu'elle connaissait par cœur, les tresser en corde pour un amant interdit qui grimperait, ainsi, du chemin escarpé au pied du rempart jusqu'à la terrasse où elle passait la nuit. Mais elle ajoutait aussitôt que pas un homme, dans cette ville, n'était digne de s'accrocher à ses cheveux. Un jour, peut-être..., disait-elle en fumant le narguilé préparé par la négresse. Elle se laissait habiller par les vieilles qui l'admiraient et se lamentaient parce qu'elle n'aimait personne, qu'elle n'aurait jamais de mari ni d'enfant, que c'était une offense à Dieu de ne pas suivre son destin de femme, épouse et mère. Elle souriait, répétant qu'elle préférait composer et chanter ses poèmes pour les hommes et les femmes de la rue, elle affirmait avoir refusé les cours princières et royales qui existaient encore. Les vieilles ne la croyaient qu'à moitié. Comment est-il possible de dire non à la gloire, au luxe, à l'argent ? Les vieilles ne savaient que répondre aux femmes qui demandaient si elle avait un jour aimé. Elle ne venait plus depuis plusieurs semaines. Un soir, la négresse est allée seule au cabaret réputé, où son nom brillait en lettres d'or, mais elle ne pouvait pas lire les lettres de l'enseigne. On lui dit que la chanteuse avait disparu et qu'on désespérait de la revoir. Son nom doré était encore inscrit au fronton, pour combien de temps ? La négresse revint en pleurant au bain, et dit aux deux autres masseuses qu'elles ne verraient plus la belle poétesse. Elle alla prendre le luth sur le sofa et se mit à chanter un poème de son village natal que les vieilles n'avaient jamais entendu. Elle chanta ainsi toute la nuit et au matin, elle rangea le luth dans un coffre qui lui appartenait et où elle avait enfermé pour toujours son trousseau de mariée. Elle cacha le luth entre deux robes de velours brodé et on ne l'entendit plus chanter, dans le bain, sur le sofa réservé à la poétesse. Longtemps la négresse poursuivit l'absente. Elle rôdait la nuit dans la rue du cabaret, lorsque s'éteignaient les lettres d'un autre nom célèbre, mais elle ignorait que les lettres n'étaient pas les mêmes. Elle attendait celle qu'elle ne verrait plus. Au bain, elle refusait de laver les femmes, de les masser, une seule fois elle accepta, parce que la jeune fille ressemblait à l'absente. Elle ne travaillait plus, ne se nourrissait plus, dépérissait. On la croyait folle. Elle restait assise tout le jour devant la porte du bain, attendant la servante qui annonçait le jour de la poétesse. Et puis une nuit, son corps fut emporté par une rivière en crue, et on ne le retrouva pas.

Ce qui est sûr, disent les femmes du bain qui ont écouté l'histoire de la musicienne et de la négresse, c'est que la plus jeune des trois sœurs, les laveuses de morts, est la petite fille trouvée, la chanteuse renommée sans amour, sans enfant, errante comme les deux autres femmes en noir, ses sœurs. On dit qu'elles sont sœurs. L'enfant abandonnée, la poétesse capricieuse, aurait retrouvé ses sœurs, réfugiées dans une grotte des montagnes un soir d'hiver, où elle allait mourir de froid. Elle aurait récité un poème pour se faire reconnaître à l'entrée de la caverne et ses aînées l'auraient accueillie. Elles ne se sont plus séparées.

## 7

Les sœurs quittent la maison du deuil, on a fait pour elles des galettes du meilleur blé, elles emportent du fromage de brebis, des figues, de l'huile d'olive et du miel, on les gâte pour qu'elles ne reviennent pas, si on les maltraite, elles pourraient se venger. Elles traversent la cour sans fontaine, clôturée par des haies de cactus. Les femmes les regardent s'éloigner entre les larges feuilles grasses et épineuses dont on a recouvert la tombe de l'enfant contre les chacals. Personne ne les accompagne, les enfants ne les suivent pas comme les musiciens ambulants du Grand Sud vers les terres qui bordent la mer, attendus, fêtés, honorés, chaque maison réclame alors de devenir pour quelques soirs la maison de deux ou trois d'entre eux, des hommes du désert, grands et maigres, noirs, qui parlent mal la langue de la côte. Les enfants les aiment, il est arrivé qu'un garçon parte avec eux à l'aube, un joueur de flûte qui gardait les bêtes dans les vallons. On ne l'a plus revu. L'ont-ils adopté ? Peut-être reviendra-t-il, seul Blanc au milieu des musiciens noirs, portant le même turban, les mêmes vêtements amples et drapés, serrés à la taille par une large ceinture de cuir. Sa famille le reconnaîtra, il dormira dans la maison de sa mère et il repartira, de village en village, marchant à pied comme les trois sœurs, mais ces hommes qui viennent de si loin sont des hommes joyeux… Les femmes en noir marchent dans l'unique rue du village, seules, elles parlent entre elles à voix basse, les volets clos s'entrouvrent à leur passage, un rideau se soulève à une lucarne carrée, les portails grincent avec le chuchotement des enfants qui se bousculent à la fente. La canne en bois d'olivier heurte les cailloux du chemin. Elles longent les collines à blé jusqu'à la rivière au milieu du vallon, bifurquent et se retrouvent sur la route étroite bordée d'eucalyptus, qui les mène aux ruines antiques. Elles s'assoient loin des ruches et des lavandes, contre le mur d'un sanctuaire encadré de cyprès. C'est l'été, on entend la mer. Des enfants cherchaient des pièces romaines à vendre aux collectionneurs de la ville voisine, au bruit de la canne, ils ont tourné la tête vers l'entrée de la voie romaine, ils ont vu les trois sœurs, elles se dirigeaient vers eux, les plus grands ont pris les petits dans leurs bras et ils se sont mis à courir vers la mer, sautant par-dessus les bouquets de romarin. Serrés les uns contre les autres, au pied de la dune la plus haute qui les sépare des murs éboulés de la ville romaine, ils ont tiré au sort pour savoir lequel les sorcières emporteraient le premier. Le jeu désigna le plus jeune d'entre eux, un garçon de trois ans qui se mit à pleurer, lorsque son frère lui fit part de son destin. Les autres éclatèrent de rire et le plus petit les imita. La bande de garçons, arrivée au port, pensa qu'il fallait avertir les pêcheurs du présage qui les inquiétait. Les hommes accroupis à leurs filets se levèrent, regardèrent du côté des ruines où ils avaient placé leurs ruches. Les enfants affirmaient que les sorcières s'étaient installées à plusieurs maisons des abeilles. Les pêcheurs continuèrent leur raccommodage, mais l'un d'entre eux se dirigea vers les ruines et surveilla ses ruches jusqu'à la nuit. Il vit les femmes marcher vers l'écume, comme elles en avaient l'habitude lorsqu'elles faisaient halte à cet endroit, se mouiller d'eau de mer le visage, les mains et les avant-bras, et revenir lentement vers le sanctuaire qui les abritait, pour la dernière prière. Debout contre ses ruches, il les regardait, prosternées.

## 8

Le pêcheur reconnaît les sœurs. Elles ne sont pas encore mortes. Elles n'ont pas disparu.

Elles étaient venues, ces mêmes femmes, dans la maison où mourait sa mère que la sage-femme n'avait pas su garder de la mort. Au lieu des you-yous de joie, il avait entendu les cris et les pleurs des femmes affolées par les gestes désordonnés de la vieille guérisseuse, impuissante à arrêter le sang. Il avait cinq ans, on l'avait empêché d'entrer dans la chambre maternelle où se pressaient les femmes. Il attendait, accroupi contre le figuier de la cour comme aujourd'hui, le dos appuyé au muret de la jetée lorsqu'il répare ses filets. Il voyait les femmes entrer et sortir, avec des bassines fumantes, et des linges rougis qu'elles allaient rincer au petit bassin d'eau courante. Elles faisaient chauffer l'eau sur un trépied, surveillé par une petite cousine qui l'avait renvoyé à son figuier lorsqu'il avait voulu s'approcher. Elle aidait les femmes, et lui ? Il a vu de l'eau rouge couler sous la porte vers la terre de la cour. La terre jaune a absorbé l'eau sans rougir, il a regardé longtemps le filet mince et sanglant, jusqu'au premier cri de détresse des femmes. Il avait entendu sa mère qui gémissait, on lui avait expliqué que mettre au monde un enfant, c'est douloureux, sa cousine suivait en même temps que lui les bruits de la souffrance repris par les femmes autour, puis il n'avait plus reconnu la voix de sa mère. Il s'était redressé, une voisine lui avait dit que tout allait bien, que l'enfant arrivait, qu'il soit patient. Il s'est assis contre l'arbre, il a attendu, et il a vu le sang et l'eau mêlés qui faisaient une tache brune comme l'eau claire aspirée par la terre, on ne savait plus que du sang de femme s'était mélangé à l'eau, venant de la chambre où les femmes se sont mises à crier. Il s'est précipité à la porte. Les femmes entouraient le lit de sa mère, le grand lit où il dormait parfois avec elle, contre son ventre rond et dur, les après-midi d'été où il faisait trop chaud pour aller pêcher à la rivière, ou chercher les crabes sous les roches. Il n'a pas vu le petit frère mort-né, ni sa mère à cause des femmes, des géantes lourdes comme les statues des ruines romaines, inébranlables et qui l'empêchaient de voir sa mère et son frère. Il a tenté de se glisser entre les plis des jupes, rampant sur le sol carrelé rouge et mouillé mais on l'a repoussé, violemment. L'une de ses tantes, la plus robuste, l'a pris dans ses bras, comme un bébé, et l'a emmené loin de la chambre et des pleurs, serré contre ses seins mous et amples, il a dit — Maman, maman — plusieurs fois, les larmes de la tante coulaient sur ses bras à lui, il ne pleurait pas, il répétait — Maman — La tante ne disait rien. Elle s'est assise contre un mur, dans l'ombre, elle l'a gardé dans ses jupes comme un tout petit enfant qu'on berce en chantant, mais elle ne chantait pas, elle pleurait doucement et lui s'est mis à sucer son pouce. Il s'est réveillé à l'arrivée des trois sœurs, la plus vieille marchait sans canne. C'est lui qui a crié en les voyant debout l'une à côté de l'autre, dans leurs voiles et leurs foulards sombres, s'avançant vers la chambre de sa mère. La tante s'est levée, a couru vers les femmes dont elle a embrassé le front, avant de les introduire dans la chambre où on lui avait interdit d'entrer. La tante est revenue vers lui, l'a pris dans ses bras en même temps qu'elle s'enveloppait dans son voile, il avait chaud là-dessous mais il n'a rien dit. Elle a mis ses chaussures de ville et elle est sortie. Ils se sont assis au bord des ruines, avec des galets qu'elle a ramassés ils ont construit un rempart, presque aussi haut que lui, il n'avait plus peur, il disait que même si on l'attaquait, des corsaires surgis de la mer, il ne mourrait pas. Le soir, les sorcières étaient encore dans la chambre de sa mère, il a dormi chez une voisine, et les autres nuits, jusqu'à leur départ. Lorsqu'il est revenu dans sa maison, les sorcières avaient emporté sa mère et son frère, il ne les a pas revues jusqu'à ce jour où il les regarde, au soir, faire la dernière prière.

9

Elles ne peuvent pas voir le pêcheur. Elles vont rester là longtemps ? Il a peur soudain pour ses abeilles. Le lendemain, il revient à l'endroit des ruines où les sœurs ont leur maison ouverte au ciel. Elles ne sont pas là. Avant leur retour, il dépose, sur le bord intact du sanctuaire, un pot de miel et un pot de lait. Sa femme élève une chèvre dans la courette, derrière la maison que son père lui a laissée sur le port. Les pots, il les a fabriqués avec les autres enfants du village. Ils allaient chercher l'argile et les femmes leur prê-taient les couleurs pour les motifs géométriques terre de Sienne et noirs, ils les donnaient à cuire au four du boulanger. Il en a gardé quelques-uns que ses enfants n'ont pas cassés, et dont ils s'inspirent pour les vendre aux étrangers qui se promènent sous les eucalyptus de la place. Dès qu'il les aperçoit, de l'autre côté de la route, elles marchent de front entre les pieds de vigne, le raisin n'est pas encore mûr, le pêcheur retourne au village pour la partie de dominos qu'il a interrompue. On sait qu'elles sont là, dans leur cité en ruine que les enfants ont abandonnée. On se demande combien de temps elles vont occuper la ville antique et pour qui. Des garçons parmi les plus hardis ont fait le guet plusieurs nuits durant, non loin du cimetière, dissimulés par le tronc centenaire d'un olivier. Certains sont restés dans l'arbre jusqu'à l'aube. Ils racontent que la plus vieille déterre les morts avec sa canne et qu'elle cache dans un étui en peau de chèvre des cheveux, des dents et même des petits doigts arrachés aux cadavres, après elles mélangent, protégées par les ruines, les crapauds et les serpents séchés qu'elles gardent dans des cruches enfouies dans la terre du cimetière, avec la poudre des plantes qu'elles ont cueillies dans les collines, ils les ont vues revenir avec des brassées d'herbes, qu'elles pilent dans un mortier, ils ont entendu plusieurs fois le bruit du pilon, le même que celui de leurs mères lorsqu'elles écrasent les graines, le cumin, les piments piquants, la coriandre, mais elles, les sorcières qu'ils espionnent, préparent des onguents ou des breuvages maléfiques. Ils ne disent rien aux mères, mais ils bavardent avec les sœurs et les cousines, les mettant en garde contre les magiciennes. Lorsqu'ils parlent, ils touchent la petite main qui pend à leur cou et qu'ils dissimulent d'habitude sous le tricot. Les filles ne les suivent pas jusqu'au cimetière, elles attendent au bord du village, jouant à la galline, c'est la marelle, avec un galet ou une boîte de tabac à chiquer. Le pêcheur est allé dans la grande maison où la fontaine est à sec, où les colonnes se fissurent, où la terrasse se lézarde. Les femmes sont inquiètes. Il se dirige vers sa sœur, qui ne reçoit plus le mandat du mari depuis plusieurs années. Elle parle avec la mère de l'époux lointain, et si les trois sœurs attendaient son retour pour le faire mourir... Elle ne dit pas exactement cela. Parler de la mort de son fils absent à une mère, qui le ferait ? À moins de jeter le fiel partout autour de soi, non, elle ne dit pas cela, mais les femmes en noir tout près du village... elle entend dire que là où elles s'arrêtent arrive le malheur. Pourquoi elle, son mari qui n'est plus là, justement ? On dit aussi qu'elles sentent la mort à distance. Mais il y a la mer entre les deux rives, l'eau n'est pas un obstacle ? Elles utilisent les airs, on les a vues, accroupies autour d'un trépied, elles brûlaient des herbes mélangées à de la poudre d'os, une fumée s'est élevée au-dessus des ruines, elles lisent dans les volutes suivant le dessin, la direction, l'odeur, si la fumée s'étire vers la mer, c'est signe que le malheur viendra d'au-delà des flots. L'un des hommes, ils sont nombreux à être partis depuis toutes ces années, lequel d'entre eux, mari, frère, cousin, lequel ne reviendra pas jeune et vigoureux comme au jour du départ ? Le pêcheur s'approche de sa sœur, la cousine aux cheveux blonds, frisés, il lui parle à voix basse d'offrandes aux trois femmes. Avant de partir, il lui donne un pot de miel, elle regarde le miel safrané, elle dit que ses enfants aiment le miel de l'oncle, il ne répond pas. Il ferme doucement le portail vert de la grande maison. Son frère l'a prévenue du moment où les sœurs se lavent les pieds, le visage, les mains dans l'eau de mer, les ablutions sont longues, elle n'a rien à craindre. Mais elle entend ce que les uns et les autres rapportent, ceux qui rôdent à l'entour des ruines et du cimetière. Elle n'ira pas au crépuscule, seule. Son frère l'a mise en garde, qu'elle soit seule et que les sœurs ne la surprennent pas. Les fumigations ne cessent pas et personne ne comprend les paroles incantatoires, une langue secrète que chacun traduit à sa manière, on aurait reconnu certains noms, plusieurs fois répétés, on ne dit pas exactement lesquels. Elle a préparé des galettes de blé, les enfants étaient au port, ils auraient pleuré pour en manger, les autres femmes n'ont rien dit. Avant le lever du soleil, elle a cueilli les premières figues-fleurs. Les galettes, les figues et le miel enveloppés dans un linge blanc, elle est partie vers les ruines, l'offrande dissimulée sous le voile. Elle sait où se trouve le sanctuaire. C'est là qu'avec des petites filles de son âge, elles avaient installé leur maison, où n'entraient pas les garçons, à moins d'y être invités solennellement. Avec les pavés romains descellés, elles avaient bâti un foyer où elles grillaient les poissons que les garçons rapportaient pour leur plaire. Un jour, elles avaient hurlé de terreur parce que l'un d'eux avait lancé à l'intérieur de la cabane en branches d'olivier sur le sol recouvert de longues feuilles d'eucalyptus, un poulpe encore vivant. Elle se rappelle que les tentacules tordus battaient les parois fragiles de la maison adossée au sanctuaire, le monstre allait détruire le foyer et étouffer les petites assis contre le mur. Depuis ce jour, elles avaient abandonné l'endroit, la bête marine était un mauvais présage, elle revoit le poulpe gigantesque et noir crachant une encre visqueuse. D'ailleurs, le soir même, sa mère l'avertissait qu'elle resterait désormais dans la grande maison, elle avait passé l'âge de courir n'importe où avec les autres enfants. Depuis, elle n'est plus entrée dans l'ancienne ville romaine. Elle longe les murets éboulés du côté de la route, pour se rendre au cimetière ou au bain maure, une fois par semaine, ou au marabout de la famille, sur la troisième colline à partir du cimetière. Elle marche vite. Elle a mis un voile neuf qui ne ressemble pas aux autres. À quelques mètres du sanctuaire, elle voit un mince filet de fumée, à l'endroit précisément où elles, petites filles, faisaient griller les oignons et les poissons avant l'histoire du poulpe. Elle s'arrête, regarde vers la mer. Les femmes sont debout, droites, face aux vagues sombres. Elle se dépêche. Elle évite de marcher sur les nattes usées, contourne le trépied qui fume et dépose au bord d'une large pierre plate le miel, les galettes et les figues. Elle a juste le temps de plier le linge qu'elle n'a pas voulu laisser, elle entend un murmure et le bruit de la canne. Elle se dissimule derrière les caroubiers. Si elle réussit à les entendre, elle saura peut-être qu'elles n'ont pas prédit la mort de l'époux absent. Elle reste là longtemps, mais les sœurs ne parlent plus. Elles font la prière, elles ont orienté comme il faut les nattes avant les ablutions marines, elles mangent un peu de la galette, chacune une figue, boivent le lait du pêcheur et se couchent. Des vieilles inoffensives, laveuses de morts ponctuelles et efficaces, toutes ces histoires... Elle n'a rien appris. Les sœurs se sont endormies comme des enfants. Demain elles seront parties. Il n'y aura pas de mort au village, ni de l'autre côté de la mer. Elle revient à la grande maison par la grève, pieds nus dans le sable au bord de l'écume, elle relève un côté de sa robe qu'elle retient dans la ceinture, à l'endroit où elle replie le voile. Au détour d'une petite crique, elle aperçoit le port. Il fait nuit. Malgré l'été, elle frissonne. Soudain, elle sursaute, un cri aigu, prolongé. Elle s'arrête, debout contre le rocher qui jouxte le port. D'où vient le cri ? Des ruines, du village. Elle écoute, plaquée contre la roche, tremblante. Des lumières aux fenêtres des maisons tournées vers la mer. Le cri semble rouler avec les vagues, moins aigu, continu. Il arrive de la côte étrangère. Elle se met à courir, poursuivie par le cri, elle pousse le portail vert, s'effondre au pied de la fontaine tarie, les femmes se sont réveillées, la belle-mère la première. Elles écoutent, debout autour de la fontaine où gît la femme qui pleure — C'est mon fils — disent les mères, — C'est mon mari...

c'est mon frère... c'est mon père... — Le pêcheur s'est habillé à la hâte, il accourt chez sa sœur, il voit les femmes qui se lamentent dans le patio aux mosaïques fêlées. Elles attendent qu'il parle. Il dit à voix basse que les vieilles des ruines sont en route vers le village, il ne sait pas dans quelle maison elles s'arrêteront. Les femmes, figées, se taisent. Le pêcheur s'en va, il doit protéger sa famille. Et elles, les femmes de la vieille maison qui se délabre jour après jour, qui les protège ? Dieu seul. Les hommes ne sont plus là. Les uns reviennent, les autres pas, et ceux qui reviennent restent à peine quelques semaines, ils vont avec leurs femmes la nuit, le jour ils ne veulent pas réparer la maison, ils jouent aux dominos ou ils partent sur les chalutiers, au large, ils disent qu'ils doivent se reposer, prendre des forces pour le prochain voyage, le prochain travail. La plus jeune des femmes entrouvre le portail, les voisines guettent aussi le bruit de la canne, on l'entend au bout de la rue, la cousine aux cheveux blonds, désespérée, se retourne vers le patio, les femmes attendent, pressées contre la fontaine. Lorsque les trois sœurs arrivent au portail vert, il est fermé. La plus vieille frappe avec sa canne.

## 10

Sur l'autre rive, dans la chambre blanche, l'homme qui marchait le long du fleuve est à l'agonie.

## II

À la courbe du fleuve, il est tombé.

Qui me dira les mots de ma mère ?
Dans la chambre blanche où je suis seul,
qui viendra murmurer la prière des morts ?
Et qui parlera la langue de ma terre à mon
oreille, dans le silence de l'autre rive ?

1

L'homme qui marche le long du fleuve a répété si souvent que sa mort, il n'y pense pas, que sa mort ne l'intéresse pas, et qu'on laisse son corps là où il sera sans vie... Que ce soit sur une colline aride où crient les chacals, ou sur le bord d'une autoroute à six voies entre deux poubelles qui débordent, les boîtes de Coca-Cola, les boîtes de bière pas complètement vides cogneront sa tête et les verres en carton où les femmes ont laissé des traces de rouge à lèvres... Que ce soit sur une jetée à l'écart, à l'heure où les poissons ne mordent plus et lui n'a pas envie de partir, les autres ont quitté le pied du phare emportant les seaux avec ou sans poissons, les bouteilles d'eau de mer réclamées par les femmes de la famille... Que ce soit dans un café où les hommes qui ont peur des maisons et des femmes dans les maisons passent une partie de la nuit... À la fermeture, ils marchent dans la ville morte ou le long du port, ils ne vont jamais par groupes, même s'ils ont parlé et joué aux cartes ou aux dominos ensemble, des heures et des heures, sa tête heurtera le comptoir ou la table, le verre de bière encore plein se renversera sur les vêtements du voisin qui gueulera, avant de savoir qu'il est mort là, d'un coup. Il aura peut-être dit, en riant, à ses compagnons de nuit que rien n'est prévu pour lui, qu'il n'est qu'un pauvre diable et qu'on peut jeter son corps dans une fosse commune, il rejoindra ses frères d'infortune, ses frères de vie et de comptoir, ses frères dans la mort, des poètes comme lui. Et eux ? Ils disent qu'il restera toujours une petite place, après la réduction de corps du paternel ou du grand-père, que c'est les femmes qui s'occupent de ces histoires... Et lui qui dit que son corps sera jeté au désert, la fosse commune, c'est le désert, tout seul, sans famille ni rien, dans le désert, avec le sable qui bouge tout le temps, une tombe disparaît, le vent, les dunes qui se déplacent, on ne peut rien marquer dessus, à quoi ça servirait, qui lirait les lettres effacées, il faut mourir près des villes ou des villages, là où le sable est fixé par des touffes d'épineux, des arbres, des pierres tombales, des palmiers.

## 2

Sa mère, à lui qui se moque de sa propre mort,
il l'a entendue répéter... il n'a pas oublié. Elle était
jeune encore, ils habitaient la grande maison, il
l'a quittée depuis combien d'années... il n'y est
jamais revenu, jamais... Son frère, le dernier, celui
qu'il a fait venir sans sa femme, la cousine aux
cheveux frisés, blonds, il n'avait pas trouvé de lo-
gement pour la famille, il a su, par hasard, parce
qu'ils ne se voyaient plus, une histoire d'argent,
que c'est dans un cercueil plombé qu'il a revu le
village, la grande maison, la mer et les ruines, et
les trois sœurs qui étaient là, le jour même de son
arrivée... Sa mère ne cessait de parler de sa mort à
elle, elle faisait peur aux autres femmes de la maison, lui seul l'écoutait, le jour de la lessive, il lui a
promis de ne pas oublier ses paroles, d'observer ce
qu'elle demande, de chasser les femmes en noir,
ces sorcières, qu'elles ne la touchent pas, qu'il soit
là pour interdire sa chambre aux sœurs et que sa
dernière petite-fille, la fille de son septième fils
et de la cousine la plus jeune encore vierge, soit
présente dans la maison pour la veiller, et juste
avant sa mort, lui murmurer à l'oreille les versets

funèbres qu'on réserve aux morts, qu'elle les récite seule auprès d'elle, elle n'aura pas peur, elle
l'aura avertie depuis longtemps, sa petite-fille la
préférée, la voix d'une jeune fille de sa lignée, la
plus jolie, la plus sensible, une voix, presque une
voix du paradis, sereine et pure, voilà ce qu'elle
voudrait. Son fils aîné sera là, pourquoi il quitte-
rait la maison, belle à nouveau, parce qu'il saura
faire ce qu'il faut et sa femme aussi. Elle n'a pas
de secret pour sa petite-fille, elle sait tout. Lui,
le fils aîné encore enfant, il a promis, il a toujours dit oui à sa mère. Comme elle l'a aimé.
Et puis, il est parti. Il n'a rien dit. Il a quitté la
grande maison, le village, pour toujours, et voilà
combien d'années qu'il ne sait rien de là-bas, sa
mère, si elle est morte... Les sœurs en noir, il les
connaît, avec les garçons de sa bande il les a guet-
tées chaque fois qu'elles occupaient leur ville en
ruine. Il lui est arrivé, ici, sur la rive étrangère,
de les reconnaître à des endroits insolites, trois
femmes en noir, trois sœurs assises sur un banc
de square ou sur des chaises en fer dans un parc,
trois vieilles femmes sur les marches des escaliers
qui mènent à la mer. Elles auront disparu avant
sa mère. Il l'aurait appris, on sait toujours ces
choses-là, par hasard, s'il était arrivé malheur à sa
mère. Elle a dressé la jeune fille, la plus jeune de

la grande maison, il en est sûr. Elle lui a dit aussi comment meurent les hommes les meilleurs, et que lui devrait mourir ainsi, elle lui a tout dit, il sait tout là-dessus et s'il dit pour lui-même, ce qu'il dit aujourd'hui aux comptoirs du pays étranger où il mourra, ce n'est pas à cause de sa mère, c'est à cause de la vie. Ses compagnons de bière écoutent l'homme de la cité romaine qui répète que celui qui mène une vie de chien, meurt comme un chien, c'est tout ce qu'il mérite, et lui, sa vie n'a pas été meilleure, sa mère l'attend, il sait pourquoi, il ne reviendra pas vivant au village. Dans le café, on lui demande d'oublier les trois sœurs des ruines, ces femmes de la mort qui tournent, on en voit dans les villages où les jeunes ne restent plus, de ces vieilles si vieilles tout en noir et alertes, les jeunes disent qu'elles donnent la mort pour prendre la vie. Est-ce que c'est vrai ? Les jeunes partent, ils laissent le village et tout autour à l'abandon. On voit des femmes dans les cimetières, on ne sait pas ce qu'elles font, mais comme elles sont les dernières, personne ne proteste et peut-être qu'elles tiennent les tombes propres. Qui vient encore prier ? Même au jour des morts, elles sont les seules à parcourir les allées, avec des brouettes et des arrosoirs. Mais lui insiste, le café va fermer, il est tard, les autres dans la ville ont baissé le rideau, le patron retourne les chaises sur les tables, debout au comptoir, l'homme dans la nuit parle seul la langue de l'enfance, d'avant l'école, la langue de la grande maison heureuse, quand les hommes ne l'avaient pas encore désertée et que leurs voix se mêlaient à celles des femmes. Les sœurs étaient loin, la vieille n'avait pas pris la canne de la tante. Le patron balaie à ses pieds les mégots encore mouillés, les papiers de cigarettes froissés, les cartes de tiercé, les tickets de bus déchirés, des peaux de saucisson, il dit qu'il attend deux ans et il va habiter la maison qu'il fait construire sur le terrain dont il a hérité. Chez lui, dans son village. Il parle comme l'homme debout, qui a levé un pied puis l'autre, au passage du balai, à voix basse, il n'entend pas la langue étrangère. Soudain il se fige, l'autre lui demande où il veut être enterré. Il répond que les idées noires, c'est pas l'heure, qu'il devrait aller se coucher, lui aussi ; dans quatre heures il fera jour.

L'homme marche le long du fleuve, ce premier jour d'été, vers l'endroit où il aime pêcher. Le fleuve va jusqu'à la mer, il le suit, ce matin c'est dimanche, en une journée, il peut marcher sans fatigue, il arrive à la mer, il trouvera une ligne sur le port, il préfère la sienne, toujours la même, il n'ira pas dans la maison de sa femme, à cette heure du jour, il ne pense pas que cette maison est aussi la sienne. C'est la maison de sa femme, la canne à pêche est à lui, personne n'y touche et sa casquette, le reste... Le café, il tient à son café, c'est lui qui l'achète, sa femme lui fait son café quand il est là. Sur l'autre rive du fleuve, il voit un homme qui marche vers la mer comme lui, en fumant des Gitanes maïs, il le sait, à la manière dont il tire sur la cigarette sans la sortir de la bouche, quand il pêche, pour ne pas être distrait, il fume des Gitanes maïs. Il porte une casquette de pêcheur, lui non, il préfère les casquettes à carreaux qu'on trouve dans la région, sur les marchés du vendredi matin. Ils vont d'un pas égal. Ils se rejoindront au prochain café avant la mer, à l'heure du tiercé. Ce qu'il gagne au tiercé, il le joue à la belote et ce qu'il gagne à la belote il le boit avec ses compagnons. Des hommes aux mains dures. Ils ont quitté la terre natale, stérile, pour les machines et les mines, après ceux qui sont allés à la guerre les premiers sur le front dans l'autre terre grasse et lourde, le nom des morts n'a pas été gravé sur la pierre de la stèle villageoise. Ses compagnons ont perdu les mots, lui non. Il écrit les lettres des pères, maris, frères, cousins... Il écrit pour la Maison de chacun d'eux, le fils aîné qui va à l'école saura lire la lettre qu'il adresse à tous et à toutes. Les hommes attentifs le regardent écrire, il écrit vite sur le papier à lignes bleues. Ils sont nombreux à lui confier des secrets, les mêmes de l'un à l'autre. Il est devenu l'écrivain public. Ses compagnons l'invitent à manger, à dormir, il accepte parfois. Lui ne travaille pas dans les dernières mines ou les usines géantes, des ogresses, disent les hommes avec qui il joue aux dominos comme dans les cafés du village natal ou sur les terrasses assombries par les ficus.

Il écrit des poèmes et il marche le long du fleuve. Il lui arrive de lire des poèmes à haute voix, dans les deux langues, ses compagnons l'écoutent, parfois des heures, ils boivent de la bière, ils ne disent rien lorsqu'il se tait. Il plie les feuilles à lignes bleues où il écrit et les range dans la poche intérieure de sa veste. Il lui est arrivé d'écrire sur le coin d'une nappe en papier gaufré et d'oublier le morceau déchiré. Il croise des hommes seuls, assis en face du fleuve, sur des bancs de bois vert, silencieux. Ils fixent la terre sale à leurs pieds, ils ne regardent pas le fleuve. Ils attendent pour le tiercé. Il ne s'est pas arrêté en même temps que l'autre marcheur, au premier comptoir ouvert le dimanche. Il les connaît tous, en particulier celui qu'il a découvert, voici quelques années, au bord de la mer, et qui vend du matériel de pêche, des journaux, un bazar où il a trouvé des hameçons qu'il n'a jamais vus ailleurs, à côté des journaux, sur des tourniquets, des livres de poche et, vers le fond, des bottes de pêche et des imperméables transparents pour les jours de pluie. Il a dit au patron que si par hasard, parce qu'il n'est pas malade, il meurt d'un coup, une voyante lui a dit que ce serait brutal, il ne souffrirait pas, il partirait comme ça sans le savoir, très vite, que le patron ne s'inquiète pas, il est seul, il n'a pas de famille, personne à prévenir nulle part, qu'on le prenne par les pieds, qu'on le traîne vers la jetée et là, qu'on le lance dans la mer. C'est la première fois qu'il dit cela à quelqu'un, le patron est un homme sage, il peut lui confier sa dernière volonté. Voilà, il a bien entendu, il faut qu'il promette, qu'ils scellent le pacte en tapant sec, paume contre paume, main droite contre main droite, ne pas se tromper de main, surtout, sinon le pacte est rompu, le patron n'est pas gaucher au moins, il doit s'en assurer, ils vont taper un coup pour rien, ça marche, sa dernière volonté, il n'a pas besoin de l'écrire, le patron s'est engagé, il a confiance, il répète une fois encore sa dernière volonté.

Il ne lui a pas dit qu'il écrit des poèmes.

## 3

Chez lui, dans le village au bord de la mer, sa place est réservée, sa mère le lui a dit combien de fois, à côté d'elle et de l'aïeule, dans le cimetière marin, à l'ombre du marabout. Il n'ira pas dans le village à côté des ruines romaines. Des cousins sont venus jusqu'à lui qui n'avait pas laissé son adresse, ils l'ont cherché longtemps en vain, et un dimanche au café du tiercé, le seul déjà ouvert sur la petite place d'un village qu'il connaît bien à cause de la rivière poissonneuse, il a entendu son nom crié depuis la porte, il a vu debout, les mains tendues vers lui, un cousin germain. Ils ont joué, il a gagné, il a donné l'argent pour sa mère, mais il a dit non, lorsque le cousin lui a parlé de la maison qu'il faut réparer, de la fontaine qui ne coule plus, des colonnes qui menacent de s'effondrer, il a dit non, il ne reviendra pas, il envoie de l'argent à sa mère, elle paiera des maçons, il y a des maçons là-bas, capables, qui savent mieux que lui. Le cousin a insisté, malgré tout, jusqu'au moment où ils se sont quittés, il est parti avec les billets froissés dans la poche de son veston. Le cousin avait même affirmé que la mère était malade, qu'elle le réclamait, il ne l'a pas cru, sa mère n'est pas malade, elle ne parle pas de lui, il le sait, il lui a dit qu'il a consulté une magicienne du village, une femme qui a voulu suivre son mari, elle avait une adresse sur une enveloppe, lorsqu'elle est arrivée ici, elle a compris que son mari l'avait trompée, l'adresse était fausse, elle ne l'a pas retrouvé, elle n'a pas voulu alerter la police, on l'aurait expulsée. Elle est restée, elle a travaillé dans le quartier des putes, il l'a reconnue, une nuit, dans un bar qu'il a quitté aussitôt, il ne voulait pas entendre parler du village, de la maison, de sa mère et un jour, par hasard, tout arrive par hasard dans sa vie, pendant une foire, il est entré dans la roulotte d'une voyante qui s'appelait Soraya, l'affiche était décorée d'arabesques maladroites, le prénom lui plaisait. Il n'a rien dit, ni elle. Mais elle a parlé de la colline où elle est née, de la cour fermée par les figuiers de Barbarie, du jour de la moisson où des femmes, elles étaient trois, sont venues de nuit enlever son petit cousin mort d'un coup de sabot, de son chagrin parce qu'elle n'avait pas le droit de l'accompagner au cimetière en contrebas, des vendredis où elle allait avec les femmes entretenir la petite tombe, donner à boire aux oiseaux, arroser les fleurs plantées autour, assise avec les femmes voilées, elle portait seulement un foulard, elle les écoutait bavarder, elles disaient qu'il ne fallait pas aller dans les ruines le long des eucalyptus, parce que les trois sœurs enlèvent les enfants. La voyante a parlé de sa mère à lui, de ses fréquentes visites au marabout, des amulettes qu'elle suspend aux branches de l'arbre sacré pour son fils qui vit au loin, son fils qu'elle n'a pas revu depuis des années, son fils qui ne tiendra pas sa promesse...

L'homme interrompt la voyante, elle l'assure que sa mère n'est pas malade, qu'elle aime ce fils qui l'a quittée, qu'elle ne le maudit pas. Elle lui a dit qu'elle l'avertirait, dès qu'elle verrait les femmes des ruines rôder autour de la grande maison. Il lui a donné tout son argent ce jour-là, et elle a juré qu'elle lui ferait savoir, même s'il ne revient pas, ce qu'il doit savoir. Chaque fois qu'il consulte Soraya, elle lui dit la vérité. Il a dépensé beaucoup d'argent dans la roulotte de la foire, deux fois par an, il sait où la retrouver mais l'été dernier, Soraya n'était plus là, ou alors elle a changé de nom et de roulotte. Il a erré à l'endroit où les voyantes se regroupent sur l'esplanade de la foire, « allée de l'Avenir », les sept magiciennes lui ont dit la vérité sur sa mort plus que sur sa vie. Soraya a disparu. Il ne l'a pas revue. S'il marche le long du fleuve jusqu'à la mer, ce dimanche d'été, s'il ne dépense pas tout son argent au tiercé, à la belote et à la bière, il prend le bateau, il arrive directement au port du village, et il apprend que Soraya ne s'appelle plus Soraya, qu'elle a acheté une petite maison blanche à côté de celle du pêcheur, peinte à la chaux avec une bande bleue à cause de la corrosion des embruns, et qu'au bord du muret, dans des pots bleus, elle a planté du basilic contre le mauvais œil. Il ne s'arrête pas avant le café de la mer où il passe le dimanche, il part à l'aube, il revient la nuit à pied, parfois il rapporte du poisson. Il ne voit pas un bateau assez solide pour traverser la mer jusqu'à la maison de Soraya qui lui dira qu'il arrive juste, il a dû entendre son appel, elle lui avait promis de le prévenir, de ne jamais lui mentir, surtout ce jour-là, où il doit absolument empêcher les sœurs, en route vers la vieille maison, d'arriver au portail vert qui rouille, on ne l'a pas repeint depuis longtemps, la rouille a fait des trous comme de la dentelle en bas et sur les côtés. Il court. Les sœurs ont déjà quitté les ruines, il fait un détour pour les devancer et leur barrer le chemin, il les tue s'il le faut, elles sont vieilles et faibles, sa mère ne les verra pas, jamais. Il ne court pas aussi bien qu'autrefois, toujours le

65

premier, on lui avait prédit un avenir de champion, coureur de fond, il n'y a pas cru, son destin n'a pas été celui d'un marathonien. Lorsqu'il arrive devant la grande maison délabrée, le portail est entrouvert, il voit les sœurs qui s'avancent vers les femmes serrées près de la fontaine tarie. Dans le port, les bateaux sont fragiles, il les aperçoit de la fenêtre du café-tabac qui ouvre sur la mer.

4

L'homme a perdu aux dominos à cause des femmes qui bavardent à la table à côté, la femme du patron, ses sœurs et ses amies. Elles tricotent pendant que la femme sert au tabac, elles parlent fort et encore plus fort, pour qu'elle entende de sa guérite quand arrive un client. L'une d'elles revient du cimetière, derrière l'usine désaffectée, la cheminée de briques rouges et noires résiste mieux que les ateliers, elle veille les morts, à ses pieds. La femme dit qu'il ne faut pas la démolir, elle ressemble à un phare, il manque la lumière dans la nuit, elle est une sorte de guide, d'ailleurs, la brise marine traverse l'usine aux fenêtres cassées jusqu'au cimetière qui sent les algues, elle reconnaît l'odeur du bateau de son mari, un chalutier sur lequel elle l'a accompagné plus d'une fois. Elle a décoré la tombe avec des coquillages, et le nom de son mari, elle l'a écrit avec des galets ronds et blancs. Elle a une place à côté de lui. Les enfants sont grands, sauf la dernière qui vit à la maison. Elle a du temps. Avec ses bocaux pleins de coquillages, de galets, depuis toute petite elle les ramasse, elle s'assoit à sa table, sur le balcon, celui qu'elle doit repeindre à cause de l'air marin, elle regarde la mer, les bateaux, et elle écrit son nom, sous le bouquet de fleurs qu'elle compose avec les galets, du gris au noir, et les coquillages, des blancs surtout, sa fille lui dit que c'est funèbre, pour une tombe elle va pas mettre des couleurs, enfin... Elle a hésité, elle a vu des galets colorés et vernis, ça tient mieux aux intempéries, mais pour elle, elle préfère une décoration discrète. Il manque la date, c'est vite fait, elle a montré à sa fille qui proteste chaque fois qu'elle lui parle de ça, mais elle lui demande si peu, écrire en galets, elle les a mis de côté, une date, quatre chiffres... Pour son mari, elle commence un chalutier, elle connaît un maçon qui saura l'incruster sur la pierre tombale, il fera pareil pour elle. Elle s'occupe quand elle est seule, sa fille n'aime pas la voir à ses épitaphes. Des oiseaux passent et repassent, en escadrilles, devant la fenêtre du café, les ailes fines et pointues font croire à des hirondelles. L'homme qui joue aux dominos s'interrompt, les écoute, les oiseaux crient, pas comme les hirondelles, c'est trop strident et leur ventre est noir.

5

Contre le plafond, en haut de l'une des colonnes, autour du patio, il y a un nid d'hirondelles. La grand-mère a interdit de le détruire. Les femmes ont obtenu de chasser les autres hirondelles, à cause des souillures. Le nid est resté. Quand il a vu la première hirondelle, il a appelé sa grand-mère, ils ont assisté ensemble au travail. Sa grand-mère lui a affirmé avoir vu la même hirondelle entre les pieds de vigne, au bord d'une flaque d'eau, elle prélevait de la boue avant de choisir un brin de paille, la colline à blé n'est pas loin. Seule, jour après jour, elle a monté les murs ronds du nid collé là-haut. Sa grand-mère dit que le nid de l'hirondelle lui survivra, les hommes qui ont quitté la maison pour revenir parfois deux, trois années plus tard, ont reconnu le nid qu'elle protège depuis la naissance de son petit-fils. Elle lui a raconté qu'il est né le même jour que les petits de l'hirondelle du premier nid de la maison, elle a ajouté que son berceau en bois, au matelas de crin, était moins douillet que celui des petits d'hirondelle, couchés sur les plumes blanches, il paraît, a précisé la grand-mère, qu'elles n'aiment que les plumes blanches et propres, les autres elles n'en veulent pas. Il a surveillé l'hirondelle et ses plumes blanches, des plumes fines et douces, des duvets de poussin. Sa grand-mère dit la vérité. Il n'a pas attendu, comme chaque année, la première hirondelle qui habiterait le nid en haut de la colonne, lorsqu'il a quitté la maison de la mère de sa mère. Soraya, dans sa roulotte, à la prochaine foire, lui dira que le nid n'est pas détruit et que les hirondelles sont fidèles. Il regarde les oiseaux qui ne sont pas des hirondelles. Les femmes parlent trop fort, il ne veut pas les entendre, c'est l'heure où il ne pêche plus. Avant de revenir le long du fleuve, il cherche à gagner une partie de dominos, pour le plaisir. Il n'est plus distrait par les oiseaux, est-ce que ceux-là, qui ressemblent à des hirondelles, viennent de si loin, de l'autre bout de l'Afrique jusqu'ici, et la mer à traverser, des migrantes qui ne se trompent pas, elles savent, et lui ne sait rien de là où il doit vivre, il suit le hasard ou le destin, pas comme les hirondelles qui ne font rien de travers. Il n'a jamais chassé les oiseaux dans les ruines, et autour sur les collines, il a fabriqué des frondes en bois de grenadier, le meilleur bois, souple et solide, il disait que c'était sa fronde sous-marine. Lorsqu'il marche seul au bord du fleuve, il lui arrive de lancer des cailloux dans l'eau, très loin parfois, comme s'il avait une fronde.

6

En riant, les femmes assises à leur tricot proposent à la voisine de travailler pour elles, chacune commande sa fleur préférée, mais en couleurs, sinon c'est trop triste, et ses initiales dessinées comme sur le linge brodé du trousseau. Un papier arraché au carnet de commandes du patron circule, la voisine dit qu'il faudra simplifier certaines lettres. Elles sont toutes sûres de leur place. La durée des concessions diminue, surtout dans les grandes villes où les cimetières ne peuvent pas être agrandis. Ici elles sont tranquilles, la concession est à vie pour la famille, jusqu'à la fin du monde, à ce moment-là avec la guerre atomique, la terre entière redeviendra poussière comme au premier jour peut-être, la terre sans personne au début... Mais ce qu'il faut, c'est un caveau, la concession bien sûr, mais pas seulement de la terre, ça jamais. Le cercueil le plus résistant avec la pluie, le poids de la terre, ça s'effondre, tout se mélange, la boue et le reste. L'une d'elles a assisté à la réduction de corps pour le père de son mari, dans sa famille, ils n'ont pas de caveau, ils sont en pleine terre, c'était pas beau à voir, elle était contente d'avoir un caveau, une place pour son mari même s'il n'est pas de la famille, ils ont fait inscrire les deux noms pour les enfants, c'est mieux... On met les os dans un petit cercueil, il faut bien cinq ans avant de demander la réduction, mais si le caveau est pour quatre, il n'est pas pour huit, c'est ce qu'on lui a dit, elle a mis de côté pour elle, son mari c'est arrivé d'un coup, elle a dû vider son carnet d'épargne, maintenant tout doucement, elle réserve ce compte, les enfants n'auront rien à payer, pas comme dans certaines familles qui veulent pas penser à ça, qui prévoient rien, ni les parents ni les enfants, et après c'est le carré des pauvres... même pas une pierre tombale, on sait pas qui est là, pas de nom, pas de dates non plus, quelqu'un qui n'a pas existé, comme s'il était mort loin de chez lui, personne pour s'occuper de la dépouille... Tous ces jeunes, elle se rappelle, il y a quelques années à la télévision, presque des enfants, dans ces régions désertiques, des corps abandonnés, morts depuis plusieurs jours, le casque de travers, on a laissé le bandeau blanc avec les inscriptions rouges, en l'honneur de leur Dieu, les souliers arrachés, sur des kilomètres les vivants enjambent les morts, ils ont le même âge, ils n'ont pas de temps pour ceux qui gisent et peut-être pas le temps de prendre dans la poche intérieure de la vareuse militaire les pièces à envoyer à la famille, identifier le martyr, faire croire qu'on n'a pas laissé le soldat aux hyènes, que sa mère le pleure, qu'on inscrive son nom sur la stèle des jeunes combattants, qu'il ne soit pas tout seul, si loin dans la boue et la pierraille, les mains nues contre les bombardiers, il est parti comme les autres chantant, ou plutôt hurlant à la gloire de Dieu, on lui a dit que s'il meurt, il se retrouvera à la droite du Seigneur, il pense que c'est vrai et que sa mort est une belle mort, pourvu que sa mère touche la pension du héros, ce qu'elle a dépensé pour en faire un guerrier patriote, un combattant de Dieu. Elle a vu si souvent des images de ces garçons habillés en soldats, morts dans des fossés pierreux seuls, rien autour, le désert désertique. Elle a pensé à ses fils même si c'est pas la guerre ici, qu'est-ce qu'elle ferait, qu'est-ce qu'elle dirait, elle mettrait à leur cou les médailles de saint Christophe, de la Vierge Marie, qu'elle garde dans une boîte à biscuits avec les autres bijoux en or, au fond du nécessaire de couture sous les chaussettes à repriser, et quand elle part deux ou trois jours, elle enterre la boîte à biscuits, enveloppée dans plusieurs sacs en plastique contre les détecteurs de métal, dans un trou profond, sous la fenêtre de la cuisine et elle recouvre la terre de vieilles tuiles entreposées là, depuis toujours. Avec les médailles, mais les cambrioleurs ça les intéresse pas, elle a rangé les bracelets en contrefort qu'on met au poignet du nouveau-né à l'hôpital, sa mère a accouché à la maison, avec une vieille sage-femme de la région, elle non, la vieille était trop vieille, elle habite le village à l'écart, les femmes vont la voir, on dit qu'elle a des pouvoirs avec ses plantes et ses prières à elle... Sur le bracelet, les infirmières ont écrit le prénom et le nom, la date de naissance de chacun des enfants, elle ne l'a pas jeté, ni les dents de lait, mais là elle les a gardées toutes ensemble, mélangées dans une boîte en bois solide, du buis, elle est incapable de dire à qui elles appartiennent, l'essentiel c'est qu'elle puisse les retrouver quand elle veut. À quoi ça sert ? Elle ne sait pas. C'est comme ça, elle n'a jamais pu les mettre à la poubelle, elle ne les a pas perdues, le matin après la petite souris, elle a cherché la dent sous l'oreiller pour la ranger avec les autres comme sa mère, sa mère est morte, mais elle sait où est sa boîte avec tout dedans, les bijoux, les dents des enfants et les mèches de cheveux, les lettres du front, elle était fiancée à l'époque, elle les a brûlées quelques jours avant de mourir. Tant que la grand-mère de sa mère a vécu c'est elle qui s'est occupée des dents de lait des petits, on la laissait faire. Elle disait qu'il valait mieux les cacher sous les pierres du seuil de la maison ou dans le mur du cimetière, surtout pas les jeter dans le feu, pour être sûr de les retrouver à la Résurrection. Elle le croyait. Elle donnait une pièce aux enfants en échange de la dent. Après elle, on a mis les dents dans les trous de la cheminée ou des murs de la maison, les enfants s'amusaient à chercher la pièce, et maintenant c'est la dent sous l'oreiller ou sous un verre renversé sur le vaisselier comme dans la famille de son mari. Chez eux, mais ça s'est perdu, et les bagues et les pendentifs on n'a jamais su qui les a pris, on faisait monter en bague la première dent de lait de la fiancée et du fiancé, aujourd'hui on a remplacé les dents par des perles fines, ça brille plus, mais c'est dommage, ça se fait plus... elle aurait bien aimé avoir une bague avec des dents de lait... Les premiers cheveux d'enfant qu'elle a coupés, elle les a enfermés dans un médaillon, elle est incapable aujourd'hui de dire à qui appartiennent les mèches de cheveux, elle n'a pas pensé à écrire le prénom de chacun, fille et garçon, sur un papier fin dans le médaillon, d'après la couleur, elle pourrait essayer mais les enfants n'ont rien réclamé, même les médailles, si les garçons allaient à la guerre comme ces enfants d'Orient, elle devrait les obliger à les porter, déjà une fois l'aîné a protesté parce qu'elle lui a donné sa chaîne et le saint Christophe, en lui faisant promettre qu'il le mettrait à son cou, pas pendant le service militaire s'il restait dans une caserne du pays, mais si on l'obligeait à aller où il y a la guerre, en Afrique ou dans le Golfe ou ailleurs. Il a promis, mais il n'a pas quitté la caserne de la ville voisine. Les enfants doivent savoir, elle leur a parlé du caveau, de ses dernières volontés, de l'argent sur son carnet qu'elle cache au fond d'une soupière, ils savent laquelle, des habits, le tailleur pied-de-poule de ses fiançailles, elle l'a essayé il y a quelques jours, il n'est pas encore démodé, et elle n'a pas grossi depuis ses vingt ans. Un jour, sa fille, celle qui vit encore avec elle, l'a vue devant la glace de l'armoire dans sa chambre, elle s'est mise à rire, avant d'essayer le tailleur à son tour. Il aurait fallu rallonger la jupe, elle a décidé que non, elle a refusé de le donner à sa fille, et lorsqu'elle lui a montré l'endroit de l'armoire où elle le range avec les autres habits, le chemisier blanc en piqué, les chaussures et les bas brillants, le chapelet autour des mains, sa fille n'a plus rien réclamé, elle a compris, jusqu'au jour de sa mort, ses habits resteront à cet endroit dans l'armoire, sur un coin de l'étagère de gauche, à côté des lettres d'amour, dont elle ne sait pas encore si elle les lègue à ses filles ou si elle les brûle juste avant. Un dimanche où ils déjeunaient tous chez elle, aucun n'était encore marié, maintenant elle les voit rarement ensemble, elle leur a fait écouter des chants grégoriens. Elle n'a pas expliqué tout de suite pourquoi. Ils ont promis qu'on entendrait ces chants pendant la cérémonie à l'église, avant le cimetière et durant les messes qu'ils feraient dire pour leur mère, ils l'ont promis, ils le feront et sa fille la plus jeune, elle lui a tout dit, les bijoux, les carnets d'épargne et le carnet spécial, les habits, les lettres, elle est tranquille. Un caveau, c'est plus propre, plus digne, elle l'a souvent dit à son mari qui se moquait d'elle, quand on est mort on est mort, caveau ou pas caveau, elle n'aimait pas qu'il plaisante là-dessus et qu'il parle comme un mécréant, une fois il avait même dit, il plaisantait pas, qu'il aimerait qu'on jette ses cendres dans la mer, il avait vu à la télévision des cendres éparpillées dans le désert, elle a oublié le nom du héros, son mari lui a raconté cette histoire et plusieurs jours de suite, il a répété qu'il se verrait bien lui aussi réduit en poudre, purifié par le feu et offert à la mer. Elle avait pleuré pour qu'il renonce à perdre ainsi son âme, il n'a pas eu le temps d'exprimer ses dernières volontés, et maintenant l'église autorise l'incinération. Elle a enterré son mari comme un chrétien, un vrai. Ses enfants l'enterreront comme une chrétienne, en chrétiens, elle n'en doute pas. L'homme qui joue aux dominos écoute les femmes. Ses partenaires, des hommes de sa langue qui boivent beaucoup de bière comme lui, surtout le dimanche, protestent parce qu'il joue mal. S'ils gagnent, c'est parce qu'il n'est pas attentif. Ils lui demandent ce qu'il trouve à ces Françaises, ni jeunes ni belles, encore plus bavardes que leurs femmes, au moins les femmes, chez eux, savent se taire devant les hommes et eux ne disent pas n'importe quoi lorsqu'elles sont présentes. Dans cette salle de café, les femmes parlent trop fort, et les hommes, pas seulement les étrangers, entendent ce qu'elles se disent et que les hommes ne doivent pas savoir, ils ne veulent pas, eux, mais les hommes d'ici, même s'ils n'écoutent pas les femmes, ils les laissent parler devant les autres qu'elles ne connaissent pas, des clients passagers, des pêcheurs qui s'arrêtent avant de retourner à la roulotte et au dîner que leurs femmes préparent au bord du fleuve, des jeunes chômeurs de la ville qui promènent une fiancée du dimanche, des ouvriers saisonniers qui attendent le car du soir, pour retourner à la ferme dans l'arrière-pays, et eux qui jouent aux dominos pas contents de gagner si facilement.

## 7

On disait que les trois sœurs quittaient les ruines, la nuit, pour errer dans les maisons abandonnées des collines et chercher ce que les femmes, avant de partir pour toujours, avaient pu oublier dans les murs, sous la terre des cours intérieures, au fond des puits, dans les vasques des fontaines, au pied des arbres. Elles ne cherchaient ni l'argent ni l'or. Les femmes au bain racontaient tant d'histoires. Comment les croire ? Les garçons encore petits accompagnent leur mère ce jour-là. Il allait avec sa mère, sa grand-mère et les femmes de la maison, pas toutes, certaines restaient dans les chambres, il ne savait pas pourquoi. Le jour où sa mère lui a interdit le bain des femmes, il a failli pleurer, mais elle a insisté, le félicitant parce qu'il irait désormais avec les hommes, il n'a pas pleuré. Les mères lavaient les cheveux des filles à l'argile, les peignaient longtemps. Elles gardaient les cheveux accrochés au peigne que les filles réclamaient à la fin de la cérémonie, à laquelle échappaient celles dont les cheveux frisaient trop, et qui ne flattaient pas l'orgueil maternel. Il se rappelle la petite cousine, assise sur un sofa en pierre. Elle pleurait, torturée par ses amies qui tiraient toutes à la fois sur des mèches de ses cheveux, pour les allonger et les rendre lisses. Elle était blonde et se croyait laide, parce que ses cheveux ne seraient jamais raides. Sa mère disait toujours — Ma fille a des cheveux blonds qui brillent, mais ils frisent — Est-ce que quelqu'un un jour, lui aura dit que ses cheveux sont les plus beaux lorsqu'ils sèchent, crépelés au bord du front, bouclés sur le cou et les épaules, à la fin de la journée au bain, mais elle les tirait en arrière et les aplatissait sous un foulard serré qui ne laissait pas échapper la moindre mèche. S'il lui avait parlé de ses cheveux, elle aurait pensé qu'il se moquait, d'ailleurs il n'a jamais eu l'idée de lui dire que ses cheveux sont beaux, un garçon ne parle pas ainsi à une fille, même un cousin à sa cousine. Il l'a vue souvent avec les autres filles, chercher la rigole la plus claire et la plus vive où lancer la mèche de cheveux mêlés, qui au fil de l'eau, allait se délier et s'allonger, mais les siens qu'elle suivait jusqu'au bout du village restaient en vrille et les autres riaient de sa déception.

Les filles répétaient ces gestes secrets, toutes les fois que les mères lavaient et peignaient leurs longs cheveux. Les garçons le savaient et les suivaient de loin, en guetteurs. Les mères défendaient à leurs filles d'abandonner leurs cheveux aux rigoles, jusqu'où iraient-ils ainsi, quelqu'un s'en saisirait et qu'arriverait-il ? Les sœurs des ruines cherchaient les cheveux des filles vierges, et pas seulement les cheveux. Tout ce qui se sépare du corps sans le blesser, jusqu'à l'eau du bain, l'eau sale avec les poils et les peaux mortes. Les femmes prévenaient les filles contre la jalousie des magiciennes, des vieilles stériles, malveillantes avec les filles en âge de prendre un époux. Les mères recommandaient de jeter les rognures d'ongles au feu, surtout ne pas les laisser n'importe où, on disait que des corneilles amies des sorcières, dressées par elles, rapportaient des morceaux d'ongles dans leur bec, et les déposaient sur une pierre creuse au pied du sanctuaire qu'elles occupaient, suivant leur fantaisie, personne ne savait à quel moment elles partiraient lorsqu'elles s'installaient dans les ruines. Les ongles comme le bec de certains oiseaux, les sœurs les pilaient avec les racines qu'elles cueillaient dans les vallons, les graines des fleurs, le sable des dunes, le foie des chacals, les entrailles des hyènes... À cela elles ajoutaient les cheveux ramassés dans l'eau courante des ruisseaux, loin du village, et si elles avaient réussi à s'en procurer, des dents de lait... Voilà ce que racontaient les femmes au bain, mettant en garde les enfants. Il ne fallait pas faire n'importe quoi. Les mères étaient vigilantes, mais pouvaient-elles surveiller ce qui venait du dehors ? Lorsque les enfants étaient encore petits, elles coupaient leurs ongles, répétant que des ongles longs et sales protègent le diable, elles les lançaient aussitôt dans les braises, mais dès qu'ils ne restaient plus dans la maison et que les mains des garçons échappaient à leur surveillance ? Elles les menaçaient, que pouvaient-elles de plus ? Elles gardaient pieusement la première mèche de cheveux, le jour où le coiffeur venait à la maison, pour les garçons de la famille qui n'étaient plus des petits, et la première dent de lait. L'homme qui perd aux dominos jette les pièces de monnaie au milieu de la table. Dans sa langue, il dit à ses compagnons de jeu et de bière qu'ils n'auront jamais, même s'il est dépouillé comme un mendiant, les petits louis d'or que sa mère cache toujours pour lui, il le sait, mais il ne sait pas où. Il a saigné le jour où il a perdu sa première dent, il a craché. C'était rouge, la dent est tombée, il l'a serrée dans sa main et il a couru vers sa mère. Elle a pris la dent, si petite, et blanche dans la paume de sa main brune, elle a dit, en riant, que c'était la plus jolie dent qu'elle ait jamais vue, elle l'a pris dans ses bras et lui a dit d'attendre, assis sur le tabouret de bois, au pied de la fontaine. C'était le premier jour de l'été, à cause de la douleur, il s'était levé le premier, sa mère préparait le café. Elle est arrivée avec une table basse qu'elle a posée devant lui. Elle lui a demandé de boire le lait sucré, il mangerait la figue fraîche ensuite. Au fond du verre, il y avait un petit louis d'or. Il l'a examiné longtemps, attentif, avant de le tendre à sa mère qui l'a caché pour lui avec la première dent dans le secret de ses bijoux. Les autres dents, il les jetterait dans la mer, vers le soleil, debout au bord des vagues et comme les autres enfants qu'il avait déjà entendus prononcer ces mots, il dirait — Je jette une dent de bourricot, rends-moi une dent de gazelle — et ainsi, jusqu'à ce qu'il ne soit plus un enfant. Aujourd'hui, ses dents sont jaunes de tabac, comme des dents de cheval, mais solides. L'autre louis d'or que sa mère garde avec le premier, il l'a découvert au fond du verre de lait sucré, quand le canon a tonné. Son premier jour de Ramadhan, il avait peut-être sept ans. Un jour entier de jeûne. Au canon, il a bondi vers sa mère qui avait déjà préparé pour lui seul le verre de lait avec le louis sur la table basse et à côté dans un grand bol, la chorba, il sentait la coriandre en même temps qu'il buvait le lait sucré au miel. Le louis d'or n'était pas plus gros que celui de la dent. Sa mère l'a mis dans une petite bourse accrochée à la ceinture de sa robe.

## 8

Les hommes ne jouent plus aux dominos. Ils boivent de la bière et ils fument. L'un d'eux parle de son fils aîné, à voix basse, dans la langue de ses frères. Pour le premier fils, loin du pays, il a fait une fête. Dans la cité, des blocs pas trop hauts, tout neufs, posés sur les collines râpées à quelques kilomètres de la ville, les femmes se sont occupées des moutons, il a acheté deux agneaux à un fermier qu'il connaît, un mois avant de les égorger, il les a nourris, les blocs sont séparés les uns des autres par de la terre pierreuse où ne pousse aucun arbre, mais les hommes ont pu fabriquer des enclos pour les moutons et un carré à part, entouré de planches, où coule le sang quand on les égorge. Il a invité tout le bloc, personne n'a protesté à cause des moutons égorgés, il l'a fait proprement, et les femmes dehors sur la colline les ont nettoyés et dépecés sans trop de bruit. Les filles de la famille qui ont nourri les moutons, les ont décorés de henné, de fleurs, et de rubans colorés, le jour du sacrifice, elles se sont mises à pleurer et n'ont pas voulu assister à la mise à mort. Son fils aîné a été honoré, gâté par sa mère et sa grand-mère. Il a même eu droit aux fameux louis d'or que sa grand-mère lui réservait. Mais elle est retournée dans sa maison, elle disait qu'elle était trop vieille pour rester avec son fils et sa famille, elle ne voulait pas mourir en terre étrangère. Après son départ, rien ne s'est passé comme il faut dans la maison des blocs, il ne sait pas pourquoi, tout est allé de travers. Sa mère n'était plus là pour faire observer les règles, sa femme trop jeune, peut-être, a cherché à vivre comme les autres femmes, les femmes d'ici, et lui, il a tellement travaillé, il n'était pas à la maison pour savoir, il a pensé que sa femme avec les autres femmes de la famille, dans la cité, ferait comme sa mère, mais rien ne s'est passé suivant les habitudes du pays. L'argent, il le donnait à sa femme pour la maison, les enfants, pas tout, il envoyait des mandats, régulièrement, au début, à sa mère puis à ses sœurs, des veuves sans pension, le travail au noir, l'argent, c'était pour lui. Le dimanche après l'émission du matin à la télé, il s'en allait sans dire où. Il a toujours joué au tiercé. Il revient le soir, après le coucher du soleil, à pas lents. Il a gagné, ça lui arrive souvent, des petites sommes, ce dimanche-là, il a de quoi acheter un moteur neuf pour sa Peugeot familiale, le voyage est long, sa mère vit dans la maison qu'il a fait construire au village, près de la frontière. D'habitude les rues sont vides. Ce jour-là, à une centaine de mètres avant les cités qui se font face, il voit un attroupement, des hommes, des enfants, pas de femmes ni de petites filles. Le groupe est silencieux. Il hâte le pas. Il met sa main sur la poche de poitrine, où il a glissé le chèque du tiercé. Il sent les battements accélérés de son cœur. Non... Pourquoi lui, pourquoi les siens ? Son fils aîné est revenu, il y a une semaine, d'un stage, il cherche du travail, mais l'été, le début de l'été, c'est difficile. On lui a proposé une place de saisonnier agricole, il n'a pas refusé, il a dit à son père qu'il préfère rester ici pour les vacances, après il verra.

Le groupe des hommes et des garçons est disposé en arc de cercle, les yeux fixés sur la chaussée. Il ne comprend pas ce qui se passe. Il s'approche et distingue des pierres sur le macadam, il se répète — Pourquoi mon fils, pourquoi les miens — jusqu'au moment où il voit les pierres au sol, placées suivant la forme d'un corps — Pourquoi mon fils... Pourquoi mon fils... Pourquoi lui... Pourquoi mon fils... — Il titube vers le dessin que tracent les pierres irrégulières, étroit à l'endroit de la tête, plus large vers le bas, il s'avance, les hommes le regardent en silence, s'écartent — Alors c'est mon fils... C'est lui, tombé à cet endroit, abattu sur le bord du trottoir — mais lui ne voit pas son fils, avec la manche de sa veste, il essuie les gouttes de sueur à son front, il voit seulement une tache de sang noir comme le goudron noir sur l'asphalte gris, le sang forme un corps d'homme couché, les enfants ont posé des pierres de la colline autour de la flaque humaine. Comme les autres, serré contre eux, il regarde fixement le sang noir, cerné de pierres blanches — Qui dit que c'est mon fils ? Pourquoi lui, mon fils — Les hommes ne disent rien. Ils habitent les blocs de la cité, ils savent, ils l'ont vu s'effondrer et saigner après les coups de feu. Avant l'arrivée de la police, les femmes se sont précipitées et malgré les avertissements, personne n'a le droit de toucher un corps tombé sur la voie publique, elles se sont emparées du corps du jeune homme et l'ont porté à bout de bras, jusqu'à l'appartement de sa mère. Elles l'ont allongé sur le sofa, il ne perdait plus de sang, la mère s'est agenouillée près de lui, elle a pris sa main et elle a récité la prière des morts à son oreille, en se balançant comme une vieille femme folle. Les femmes se sont assises autour du sofa, contre la mère qui a recouvert le corps de son fils d'un drap brodé d'arabesques dorées. La tête repose sur un coussin brodé des mêmes arabesques. On ne voit pas de blessures, il a été touché au cœur dans le dos. Les femmes n'ont pas chassé les petites filles, elles sont accroupies, collées à leur mère et aux sœurs aînées. Lorsqu'elles entendent la sirène de la police, les femmes se pressent autour du corps jusqu'à le couvrir, la police ne le verra pas, et elles se mettent à hurler d'un seul cri, le cri de la mort violente, injuste, un cri de révolte contre l'ordre qui veut que des hommes étrangers enlèvent à une mère le corps de son fils. Elle lui a donné la vie, elle doit protéger sa mort. Son fils lui appartient, à elle seule. On sonne, elles n'ouvrent pas. On frappe à coups redoublés. Elles ne bougent pas. On crie — Police — Elles ne crient plus, immobiles contre le sofa. Un bruit de clés dans la serrure, la porte s'ouvre. Le père précède les policiers qui attendent dans l'entrée. Le père pénètre dans la pièce où les femmes ne pleurent pas. Il parle à sa femme, elle dit — Je ne veux pas... Je ne veux pas... Je sais ce qu'ils vont lui faire... C'est mon fils... Il est à moi... Ils l'ont tué et ils me le prennent, ils me le volent... On ne vole pas un fils à sa mère... Je ne veux pas qu'ils le touchent, ils sont impies... S'ils l'emportent j'irai avec eux...

C'est mon fils, ils n'ont pas le droit... Je reste avec lui, là où ils le mettent, même dans la chambre froide... Une mère reste près de son fils jusqu'à la terre... — La mère se lève, crie, s'agite, empêche les policiers de s'approcher du sofa. Le chef donne des ordres, les policiers glissent la civière sous le corps du garçon, la mère hurle, le père cherche à la calmer, les femmes l'entraînent dans la chambre attenante où elle s'effondre, en pleurs, sur le tapis près du lit. La tombe en pierres, autour du sang séché, est restée plusieurs jours. Des hommes et des garçons montaient la garde, puis chacun dans la cité a pris une pierre témoin et les frères de la voirie ont fait disparaître la tache, l'arroseuse municipale est passée à l'aube. Ils ont rendu le corps dans un cercueil plombé, à la fin de l'enquête, et l'Amicale a aidé pour le retour au pays. Ils sont tous partis en avion, avec l'argent du tiercé.

Les hommes dans le café, près des fenêtres qui ouvrent sur la mer, boivent jusqu'à la nuit. Ils ne jouent plus aux dominos. Ils parlent une langue que les femmes de l'après-midi ne comprennent pas, elles parlaient entre elles, elles n'écoutent pas les hommes. Elles ont quitté la salle du café depuis longtemps, indifférentes à la langue étrangère. L'homme qui perdait aux dominos dit que sa mort ne coûtera rien à personne, il n'en parle pas avec sa femme, elle ne lui demande rien, même lorsqu'il ne rentre pas pendant deux ou trois jours, elle ne dit rien. Ils ne se parlent pas ou si peu.

9

Les louis d'or cachés dans la grande maison disparaîtront en même temps qu'elle s'écroulera, comme sa mère l'a prédit, et la mère de sa mère, ou bien sa mère les donnera à l'aîné de ses petits-enfants, peut-être l'a-t-elle déjà fait, lorsque son frère plus jeune que lui a eu un fils, avant de venir ici, pour un travail qui lui a coûté la vie, il a su qu'il s'est tué en tombant d'un toit de tuile, il était couvreur. La maison là-bas avait besoin de lui, il aurait su la réparer, il est venu mourir en terre étrangère comme un banni. Il disait qu'il aimait travailler près du ciel, parfois, s'il y avait un arbre très haut près du toit, il descendait, de branche en branche. Sa femme, la petite cousine blonde aux cheveux frisés, l'a attendu pendant des années. Il ne voulait pas qu'elle le rejoigne avec les enfants, il aurait de l'argent, il lui ferait la surprise d'une maison neuve qu'il construirait lui-même. Mais les sœurs ont frappé au portail vert. Elles ont su les premières, à cause de la fumée qui cherchait à traverser la mer. Les femmes de la grande maison n'étaient pas malades, ni les enfants. L'une d'elles était simple d'esprit, mais saine de corps. Elles ont compris au regard de la mère, à son effroi devant les trois vieilles, que l'un des hommes absents reviendrait pour être porté en terre. Les sœurs ne sont pas restées, la mère les aurait chassées elle-même, puisqu'il n'y avait plus d'homme pour cela, ni son fils qui avait promis et qui était peut-être mort sans sépulture, sur quelle terre. Les femmes ont quitté les ruines, les enfants ont averti leur grand-mère du départ nocturne des sorcières. Elle a pensé qu'elles seraient présentes à nouveau dans la cour de la fontaine à sec, le jour de sa mort, à elle. Elle a aussi pensé qu'elle saurait s'il arrivait malheur à son fils. Il est vivant et il ne veut pas revenir.

## 10

Dans la chambre blanche de l'autre rive, l'homme agonise.

# III

À la courbe du fleuve, il est tombé.

Qui me dira les mots de ma mère ? Qui saura, dans la chambre blanche où on me laisse seul, réciter la prière des morts ? Je ne vois personne et personne n'entend quand j'appelle, de l'autre côté de la mer.

1

L'homme a bu beaucoup de bière ce dimanche, le premier jour de l'été, dans le café de la mer, il parle trop fort, il dit en riant à ses compagnons de dominos, effarés, que lui, sa mort ne l'inquiète pas, il n'a pas peur. S'il a une âme, il n'en est pas tout à fait sûr, il pense que oui, mais parfois c'est comme si le diable se cachait sous ses ongles noirs, il regarde ses ongles, les autres aussi, ils ne sont pas coupés au ras pour empêcher le diable, sa mère et la mère de sa mère avaient raison, pourquoi les femmes ont toujours raison, à la fin...

S'il a une âme, on peut jeter son corps à la décharge publique, il a la promesse du patron que s'il meurt dans son café, il donnera son corps à la mer, il préfère, mais qui tient ses promesses ? Lui-même n'a-t-il pas fait le serment à sa mère de la protéger contre les trois sœurs ? Qui le fera s'il n'est pas là au moment opportun ? Avec un canif, il se cure les ongles, il essaie de les couper mais la lame est usée, son canif de pêche est vieux. Le diable est là qui le retient, pourquoi ? Qu'est-ce qu'il fait ici, de plus ? Sa femme l'a attendu les premières années. La maison de sa femme n'est pas sa maison, ni celle de ses enfants. Il n'a pas d'enfant. Si elle l'avait suivi par amour, seulement par amour, sans raisonner, dans la grande maison, elle aurait eu sa chambre, la cour avec la fontaine claire, le figuier, la terrasse où bavardent les femmes et les filles, il aurait veillé à la maison, à ses colonnes, il n'aurait pas détruit le nid d'hirondelles, les plafonds, le bord des balcons intérieurs, le portail vert, sa mère aurait accueilli sa femme, son épouse, sans méfiance, une étrangère n'est pas une impie, ses paroles, ses gestes, d'autres femmes peuvent les reconnaître comme s'ils étaient les leurs, les rires et les pleurs sont les mêmes et le corps d'une femme qui aura des enfants dans sa maison ressemble à celui des femmes de la grande maison. N'est-il pas vrai ? Une femme étrangère, si elle a un enfant du fils aîné de la maison, cet enfant est de la maison de sa grand-mère et l'étrangère, la mère du fils de son fils, est une femme de la famille. Et si elle n'a pas peur de venir au bain avec les femmes de la grande maison, si elle ne se conduit pas comme une barbare qui voudrait un bain pour elle seule, et les autres… Si elle ne cache pas son corps au milieu des femmes nues qui se lavent entre elles, si elle se laisse frotter, savonner, épiler par les vieilles du bain et parfumer avec les essences qui plaisent aux femmes d'ici, alors elle ne sera plus seulement l'étrangère. Mais tout cela n'adviendra pas au premier jour. La mère sait que l'étrangère sera apprivoisée au premier fils, elle sera vigilante et s'il le faut, elle admonestera certaines de ses belles-filles. Les louis d'or reviennent à ce fils aîné de son fils. L'étrangère écoute les femmes au bain. Elle ne comprend pas tout. Parfois l'une d'elles parle, les langues se mêlent, elle suit l'histoire des sœurs. Est-ce qu'elle les verra un jour ? À chaque promenade le long de la mer, on lui dit qu'il ne faut pas aller à l'intérieur de la ville antique, les enfants l'ont désertée, c'est que les vieilles dorment et veillent au pied du sanctuaire. Aucune ne serait capable de décrire leur visage et elles prétendent connaître leur vie avant l'errance. Comment cela se peut-il ? Quelles preuves ? Les femmes qui racontent n'ont pas besoin de preuve, ce qu'elles disent est vrai, puisque personne ne met en doute leur récit. Qui ne respecte pas les vieilles du bain, leur sagesse, leur piété ? Elles savent ce qu'elles disent. Elles lavent le corps des vierges depuis des décennies, les sœurs lavent le corps des morts depuis des siècles, de sœur en sœur. On dit que la cadette était bergère. Sur les plateaux arides avec ses jeunes frères, elle gardait les moutons du village. Elle n'avait pas peur des loups et défendait les troupeaux contre les bêtes sauvages. Il paraît qu'elle savait leur parler, et en vérité pas une bête n'a été tuée, ni égorgée, ni emportée, alors que sur les plateaux voisins, les paysans se lamentaient chaque jour. Elle avait un don, c'est certain. Son père ne voulut pas croire aux qualités de sa fille ; dès qu'elle fut nubile, il l'enleva aux plateaux, aux loups, aux troupeaux qui furent décimés peu après, et la maria à un épicier riche et avare qui venait de répudier sa troisième femme. Il enferma sa jeune épouse dans une belle maison triste et lui interdit de parler avec la vieille domestique. Elle eut un fils, un seul, et son mari épousa une femme plus jeune qui vécut dans la même maison, puis une autre dont il eut neuf enfants. Il préférait chaque fois la plus jeune de ses épouses et les enfants de celle-ci. Il négligea le fils aîné, le fils de la bergère qui ne parlait plus avec les loups, séquestrée depuis des années dans la maison de l'épicier avec les autres épouses qui ne l'aimaient pas. Son fils, un jour, disparut et elle apprit par un colporteur qui la connaissait depuis l'enfance, qu'il s'était engagé dans l'armée de l'occupant. À ce moment du récit, une femme contredit la vieille, elle savait qu'il avait rejoint un corps d'élite, au service de l'une des puissantes tribus du Grand Sud qui s'opposait à l'avance des troupes ennemies, elle précisait qu'il s'agissait même d'une confrérie célèbre dont le chef était aussi chef de la tribu. La vieille du bain affirma que la mère crut à la version du colporteur, son fils l'avait quittée pour être soldat, il serait tué par ses frères. On dit que la nuit qui suivit cette nouvelle, la mère poussa des hurlements de loup terrifiants, et qu'on la vit, au matin, avant le lever du soleil, abandonner la maison de l'épicier, pour aller à la recherche de son fils. Elle était sortie, hagarde, les cheveux défaits, la robe sans ceinture, elle n'emportait rien. Des femmes l'accompagnèrent au bout du chemin qui mène aux plateaux, elles lui donnèrent de quoi vivre quelques jours, nouèrent ses beaux cheveux bouclés et les couvrirent de trois foulards, on serra sa robe avec une ceinture de laine tissée, on l'enveloppa dans un voile qui la protégerait jusqu'au prochain marabout. On eut de ses nouvelles par le colporteur. Il l'avait reconnue dans la vagabonde en guenilles qui priait au pied d'un sanctuaire isolé, demandant à Dieu de lui rendre son fils unique. Le colporteur prétend qu'elle n'a jamais su que son fils est mort, lors d'un accrochage de l'armée d'occupation avec les guerriers d'une tribu du Grand Sud, et qu'elle ne saura pas qu'il est enterré avec les autres soldats étrangers, dans un carré militaire, loin des hauts-plateaux, au pied d'un fortin construit à la hâte, hérissé de tours de gué. Elle n'aurait pas eu l'idée, passant par là, de s'avancer vers les tombes à cause des croix et si elle avait remarqué les quelques pierres tombales dépourvues de croix, elle n'aurait pas su lire le nom du combattant ni dans sa langue, ni dans celle de l'occupant. À la fin, elle a rejoint ses sœurs, les laveuses de morts, pensant sans doute qu'au hasard des maisons, il lui serait donné de reconnaître le corps de son fils, par ef-fraction, les femmes ne lavent pas le corps des hommes, elle aurait su que son fils reposait dans la chambre de la toilette, elle aurait risqué, même la mort, pour le voir et l'enlever à la famille qui l'aurait adopté. Elles l'auraient emporté, sachant mieux que les autres, des étrangers toujours, ce qu'il faut faire pour un fils unique. Ses sœurs les laveuses de morts auraient approuvé son geste, de faibles elles seraient devenues fortes comme elle, pour transporter le corps bien-aimé jusqu'à une rivière et le déposer au bord de l'eau claire, sur une longue pierre plate. Elles sont vieilles, qui voudrait les regarder, les aimer, les féconder en les caressant, leur corps est déjà de l'autre côté du monde, elles n'offensent personne ni Dieu, si vieilles, presque plus des femmes vivantes, des souvenirs de femmes. Elles lavent le fils de leur sœur, un homme encore jeune, un homme fort qui aurait été un guerrier vigoureux et redouté, prêt à affronter les lions et les tigres pour la sauvegarde de la tribu et qui n'aurait jamais abandonné sa seule mère, vouée désormais à la mendicité et à l'errance. Il s'est enfui, et sa mère ne l'a pas maudit, voici que sur la pierre plate elle le bénit comme un enfant, le lave à l'eau de la rivière, le purifie pour le rendre à Dieu tel qu'il est né d'elle. Ses sœurs accompagnent ses gestes de paroles bienfaisantes, la plus jeune chante des poèmes funèbres plus beaux que tous les chants nuptiaux. Des chevaux sauvages viennent boire dans une boucle de la rivière, ils s'approchent des femmes penchées sur le fils, hennissent et s'élancent au galop dans la plaine. Si des loups couraient à la rive, la cadette leur parlerait et ils s'éloigneraient de la pierre. Elles se disent entre elles, chuchotant de l'une à l'autre, que cet homme, le fils de la sœur, est beau. Qu'un homme peut être beau, la plus jeune le sait, les autres non, jamais un homme beau comme celui qu'elles parfument d'herbes sauvages ne s'est penché vers elles, sur la couche haute dans la chambre de la maison. Elles ont été jeunes, elles ont rêvé avec les autres filles et les femmes de celui qui serait le plus beau, le plus intrépide et qui les enlèverait aux murs surveillés. Pas un homme n'est venu à elles, que celui qu'elles n'ont pas aimé, nuit après nuit, dans la violence et la détresse jusqu'au jour de la fuite. Et cet homme-là, doucement allongé au bord de la rivière, dont elles touchent le corps comme elles n'ont pas touché un corps d'homme, elles femmes et jeunes, prêtes à embrasser, amoureuses, l'homme qui les aurait aimées... Les plantes miraculeuses qu'elles seules connaissent vont insuffler la vie au fils de la sœur. Elles le frottent tour à tour, réchauffant le visage puis la poitrine à l'endroit du cœur, pleines d'ardeur, jusqu'au moment où elles sentiront le souffle de la vie, un souffle d'enfant d'abord, puis un souffle d'homme, pas celui d'un soldat qui aurait bu trop d'alcool dans les cabarets de la misère. Elles font un feu près de la pierre. Elles frottent des heures et des heures, jusqu'au premier cri du chacal dans la nuit. Malgré le feu, le corps est froid à nouveau. Elles désespèrent. Qui d'autre que Dieu a le droit de redonner la vie à un mort ? Elles se résignent, regardent encore une fois le corps devenu raide. La mère l'enveloppe dans le voile qu'elle a gardé depuis le jour de sa fuite vers les plateaux, il serait son linceul, elle le noue avec une branche d'osier, à la tête et aux pieds. Les sœurs veillent le corps de l'homme, le plus beau d'entre les hommes, le dernier qu'il leur est permis de voir, de toucher, d'aimer. À l'aube, elles montent vers le marabout, au sommet du tertre. Pour creuser la tombe, elles n'utilisent ni morceaux de bois, ni cailloux pointus, elles travaillent avec leurs mains, prosternées. Épuisées, à la fin du jour, au coucher du soleil, elles tapissent la tombe de pierres plates que des femmes pieuses déposent contre les murs du sanctuaire. Elles ont ramassé des genêts secs aux longues épines meurtrières, pour protéger la tombe des bêtes nocturnes, elles la recouvrent de ces épineux et l'une d'elles, la plus habile, l'aînée, qui a appris à ses fils à tailler des arcs et des flèches, sculpte des arabesques sur deux branches d'olivier, une pour la tête, une pour les pieds, des témoins que personne ne touchera, le plus haut à la tête. Elles n'ont pas besoin de dire aux femmes gardiennes du sanctuaire, de veiller à la tombe de leur fils, ces vieilles femmes pauvres, pleines de piété, ont partagé avec elles la galette de blé dur, la branche d'olivier à déposer sur la tombe, les figures sèches qu'elles réservent aux vagabonds et aux pèlerins égarés.

## 2

Mais lui, sa femme a dit non. Elle a refusé de traverser la mer pour vivre dans la grande maison qu'il aurait embellie, parce que, à ce moment-là, il l'aimait. Elle a dit non, chaque fois qu'il a parlé du village, de sa mère, des ruines, du port où il a pêché enfant, de la pleine mer, des vagues tumultueuses qui ont failli renverser plus d'une fois la lourde barque que le vieux pêcheur, assis à la terrasse de sa maison, sur le port, prêtait aux enfants courageux qui revenaient avec les poissons les plus gros et les plus rares. Et puis, elle n'a plus dit non parce qu'il n'était plus là pour l'entendre. Il est revenu dans la maison de sa femme, tant qu'il a su qu'elle l'attendait, il est revenu pour elle, qui refusait toujours, sauf l'enfant qu'elle n'a pas eu, ni lui. Maintenant il revient, elle ne l'attend plus, elle est là, chez elle. Il part, mais il ne traverse pas la mer. Son oreille n'a pas encore sifflé, la feuille de l'arbre de vie, la feuille de sa mère, n'a pas frôlé la sienne en tombant, il partira définitivement ce jour-là. En attendant, il est dans le café de la mer, il fait presque nuit et il parle, il fume, il boit. Il écrit les lettres de ses compagnons d'exil. Il demande qu'on lui rappelle la prière qu'il faut prononcer lorsque l'oreille siffle longtemps, plus longtemps pour une mère. Un homme dit que, quelle que soit la feuille, la prière est la même. Il baisse la voix pour la réciter au-dessus des dominos épars, dans l'odeur de la bière et du tabac bon marché, ils roulent leurs cigarettes avec du tabac gris, lui fume des Gitanes maïs. Le patron dit qu'il va fermer. Ils sont les derniers. Ils commandent à boire, le patron grommelle, répète qu'après, il ferme. Ils rangent les dominos, lentement. L'homme qui fume des Gitanes maïs sort, de la poche intérieure de sa veste, une liasse de papiers. Il écrit, lorsqu'il est seul et qu'il ne veut pas rentrer chez sa femme, il écrit, personne ne le sait que ses compagnons, nomades des villes comme lui, et qu'il ne rencontre qu'une fois. Parfois, il les quitte sans leur avoir demandé leur nom, et eux ne le disent pas si l'autre n'insiste pas, ou s'il ne le dit pas le premier. Peut-être avait-il trop bu cette fois-là, il lui a fallu du temps pour retrouver son nom, il s'est inquiété, c'est arrivé trois fois. Aujourd'hui, dans le café de la mer qui va fermer, à ses compagnons de dominos dont il se séparera après la dernière bière, il a dit son nom, sans hésitation. Eux aussi. Ils se sont salués dans leur langue, à la manière des hommes de chez eux. Il étale sur la table les feuilles, les distribue comme des cartes à jouer, puis les range en ligne pour une réussite, il lit les numéros dans le désordre, les mélange, donne au hasard une page à chacun des compagnons qui la regarde, sans la lire. Il écrit, quand ça lui prend, parfois des vers, parfois non, des histoires décousues qu'il est le seul à comprendre, il les lit de temps en temps, à haute voix, à des hommes qui lui ressemblent et qui l'écoutent. Sa mère, si elle savait lire... c'est à elle qu'il aurait envoyé toutes ces pages qu'il a déchirées. Elle saurait qu'elle a un fils poète. Il n'a rien dit à sa femme. Les premières années, il a écrit pour elle des poèmes, quelques-uns qu'il lui a donnés, elle a dû les lire, est-ce qu'elle les a gardés ? Elle ne lui en a jamais parlé, comme s'il n'avait rien écrit. Depuis longtemps, il écrit et il ne le dit pas à ceux qu'il pourrait revoir. Une nuit, il est revenu chez sa femme, il avait écrit une histoire cette fois-là, il n'a pas pensé à cacher les feuilles comme il le fait d'ordinaire, il a même continué à écrire sur la table de la cuisine, il a dû s'endormir, il ne sait comment, il a tout laissé, éparpillé sur la table et sur le sol. Lorsqu'il s'est réveillé, il était seul dans le lit, il ne dort plus dans le lit de sa femme, il s'est levé, le café était prêt pour lui dans la cuisine, il n'a rien retrouvé, pas une feuille. Il a cherché partout, dans les tiroirs, les placards, les tables de nuit, les étagères, sous les piles de linge, derrière les meubles, dans la poubelle, il n'a rien trouvé. Il a bu son café, avant de chercher à nouveau. L'été, sa femme baisse le rideau de la cheminée. Dans les vieux immeubles, il y a des cheminées qui marchent. Sa femme voulait un appartement avec une cheminée, comme dans la maison de sa mère, à la campagne. Il l'a trouvé. Après la dernière tasse de café, il a pensé à la cheminée. Il a soulevé le rideau de fer. De minuscules papiers calcinés voletaient. Il s'est demandé, un moment, s'il n'a pas inventé ces pages, des jours et des jours, passés dans la ville, la nuit. Il a oublié ce qu'il a écrit. Il n'a rien dit, ni sa femme. Il rassemble les feuilles, il commence à lire, le patron encaisse, sans écouter, il dit qu'il ferme. Les hommes quittent le café de la mer, le patron dit — À tout à l'heure, on est déjà demain — et tire le rideau de fer de l'intérieur du bistrot.

L'homme est seul. Il se dirige vers la mer, ses chaussures à la main, il marche dans l'écume, il ne fait pas encore jour. Il arrive jusqu'à l'endroit où le fleuve se jette dans la mer. La prochaine fois, il n'oubliera pas de préciser au patron, s'il tombe raide chez lui au pied du comptoir, comme on le lui a prédit, qu'il donne son corps à la mer, mais là où les eaux du fleuve croisent les eaux de la mer, exactement, voilà ce qu'il désire, le patron aura peut-être du mal à transporter le corps le long du sable, jusque-là. Il n'y a pas de route, il faut aller au bord des vagues, le sable est plus dur, on peut faire rouler une carriole, il a vu une vieille charrette à bras dans la remise, derrière la salle du café. Si le patron hésite, pour l'instant il a dit oui, pensant qu'il n'aura pas à le faire parce qu'il fréquente d'autres bistrots que le sien, il lui fera une avance importante. S'il se retourne, à sa gauche, il voit les premières ruines. D'abord les buissons de romarin qui poussent entre les pierres, dans un creux qu'il connaît bien, les ruches, autour, des touffes de thym et avant d'arriver au premier muret éboulé, de chaque côté de la rivière qui creuse le sable jusqu'à la mer, les lauriers-roses. Par-delà les ruines et les eucalyptus qui bordent la route de la côte, les premières collines, plus haut les collines à blé, l'arbre unique où se reposent hommes et bêtes, sa mère lui a parlé de l'enfant tué d'un coup de sabot. Dans la poche intérieure de sa veste, il prend le paquet de feuilles écrites, des lettres fines et régulières serrées sur chacune des pages, sans marge, pas un blanc sur les côtés, en haut ni en bas, lisibles par lui seul. Qui ferait l'effort de déchiffrer une telle écriture, des pages si pleines, le texte d'un homme inconnu, qui écrit des poèmes et des histoires que personne ne lira parce qu'il garde le secret de ses nuits inspirées ? Il mouille l'index de sa main droite, tire les feuilles, une à une, rassemble les chiffres impairs, range les pairs dans sa veste, et déchire avec soin en morceaux légers comme des confettis, les pages qu'il a gardées. Qui pourrait reconstituer le mot le plus petit ? Il tient les pages en miettes dans ses mains, s'avance à la croisée des eaux qui tourbillonnent, et les jette, avec les gestes amples et solennels des Anciens qui ont dû jeter les cendres d'êtres chers, sur les rivages de la mer fermée par des terres qui se sont fait si longtemps la guerre, et ce n'est pas fini, mais la guerre c'est aussi la rencontre, le tourbillon des eaux où les papiers disparaissent, c'est l'échange turbulent du fleuve avec la mer. Pourquoi pense-t-il soudain à une image qu'il a découpée et pliée dans son portefeuille, pour quoi faire ? Un journal récupéré sur la table d'un bistrot, il l'a feuilleté et cette photographie l'a arrêté : allongés sur des civières posées au sol, alignés sur plusieurs rangs, trente, peut-être cinquante corps, noués à la tête et aux pieds dans des couvertures militaires. Une photographie sans légende, il n'a pas lu l'article, il a arraché la page comme un voleur, il l'a pliée très vite en huit, depuis elle est dans son portefeuille avec ses papiers. Ces corps seraient le prix de croisements impossibles ? De poèmes jamais lus par d'autres yeux, d'autres voix ? Qui saura s'ils sont beaux ? L'éternité des bouts de papier réduits à des grains de cendre par les eaux mêlées. La cendre aussi fine que la farine qu'il touchait en cachette dans la grande maison. La farine, on ne la jette pas dans la mer…, la première graine ensevelie dans la terre, lui a dit sa mère, ne la perds pas comme un écervelé, c'est sacré, tu connaîtras les tourments de l'enfer pour l'éternité, si tu jettes la poudre dorée dans la mer pour t'amuser, la mer est stérile, elle ne rend pas le grain comme la terre, tu ne dois rien lui donner en offrande, elle prendra ta vie si tu es un pêcheur malheureux, oublié de Dieu. Oublié de Dieu, sa mère ne saura jamais qu'il a oublié Dieu et que Dieu l'a abandonné. C'est pour cela qu'il écrit des poèmes voués à l'oubli ?

Il se rappelle un homme, rencontré un jour au bain public des hommes. Un parleur pieux qui revenait des Lieux Saints. Pourquoi vivait-il en terre étrangère à un âge où le malheur pouvait le frapper à tout instant ? Il ne le dit pas. Il glorifiait ceux qui voulaient mourir en terre sainte et assurait que lui, malade, impotent, retournerait sur les Lieux Saints pour y mourir. On gagnait ainsi une place auprès de Dieu. Il racontait qu'il avait un jour perdu ses papiers et ce qu'il possédait, tout son bagage. Il avait prié toute la nuit et au matin, il avait retrouvé sa valise, ses papiers, son portefeuille, son argent, rien ne manquait. Lui qui écoutait cet homme ne comprenait pas les caprices de vieillards effrayés au moment de la mort et qui exigent d'être enterrés en terre sainte, obligeant, par serment, les enfants présents à sacrifier des sommes indécentes à ce dernier devoir filial. Mais le vieux parleur affirmait que c'était la mort la plus conforme aux règles de la religion et les autres hommes approuvaient. Qu'aurait-il dit ? Qui l'aurait écouté ? S'il avait dit alors que les poètes, pas n'importe lesquels, ceux qui célèbrent la liberté, la seule liberté difficile, illusoire, cruelle, que ceux-là seront à la meilleure place auprès de Dieu, ils l'auraient traité d'impie parce qu'ils pensent que les poèmes doivent chanter les louanges de Dieu l'Unique, sinon il faut les brûler, les poèmes et les poètes, indignes du Tout-Puissant. Il est sorti du bain public en pensant aux paroles de sa femme.

Déjà elle ne lui parlait plus et lui pas davantage, mais son père venait de mourir, il n'a pas voulu la laisser seule. Il n'a pas assisté à l'office religieux mais il est allé à l'enterrement. Sur le caveau il a lu le nom de sa femme, le nom du père, un caveau de famille, la famille paternelle. Le soir même, ils regardaient la télévision, elle lui a demandé s'il pensait à sa mort à lui. Il a éclaté de rire — Pourquoi tu ris ? — Tu me parles, pour me voir mort... Qu'est-ce que tu voudrais faire de moi à ce moment-là ? Mais si je ne meurs pas dans ta maison, si je suis loin. Tu ne sauras pas où, même si on me transporte à l'hôpital parce qu'on m'aura ramassé sur la voie publique, je ne dirai pas mon nom, ils n'auront rien de moi, tu ne seras pas avertie... Alors qu'est-ce que tu veux me proposer pour ma mort, toi ma femme qui n'as pas su me donner un peu de ta vie ici... Dis-moi — Dans le caveau de mon père, il y a encore deux places, une pour moi, une pour toi, si tu veux — Il éclate de rire à nouveau. — Pourquoi tu ris comme ça ? — Tu me le demandes ? Toi et moi, unis dans la mort, après toutes ces années chacun avec son malheur, incapables d'en bouger, accrochés l'un à l'autre, pour quelle vie ? Soumis à un destin désastreux, séparés et soudés, tu veux que dans la mort... Tu as refusé d'habiter la grande maison de l'autre côté de la mer, vivante, joyeuse, femme entre les femmes, ma femme, mon épouse, la mère de mes enfants, mon amante, ma sœur... Tu as refusé tout cela et tu veux m'entraîner avec toi dans le caveau paternel de ces cimetières des villes, quand nous aurions été un jour réunis dans le cimetière marin de la colline... Non... Ce que je dis là est faux. Tu as eu raison de ne pas risquer l'aventure outre-mer, tu as eu raison... Que serait-il arrivé ? Tu aurais été dévorée par les femmes de la grande maison, elles se seraient acharnées sur toi fragile, trop blanche, trop blonde, les yeux trop bleus, elles t'auraient mise en pièces, des furies, je les connais, je les ai vues, liguées contre l'une d'entre elles qui venait de la ville, de la capitale, des folles, dangereuses, qui l'auraient envoyée à l'asile si elle n'était partie d'elle-même, terrifiée pour longtemps. Et toi... Non, il aurait fallu t'arracher à la grande maison et à ses femmes pour aller où ? Je n'ai pas su construire pour toi une maison sur d'autres collines. Tu as eu raison de ne pas traverser la mer. Tu serais revenue dans la maison paternelle avant le caveau, plus malheureuse encore. Mais n'attends pas ma mort pour m'enfermer avec toi, dans le caveau d'une famille qui ne m'a pas aimé. Pense à ta mort autant que tu voudras, laisse-moi la mienne que je puisse l'offrir aux chacals ou aux chiens. Je ne veux pas me retrouver comme ces pauvres types qui se sont trompés de guerre, qu'on a trompés pendant tant d'années, ils auraient une maison, plus belle que les masures des hauts-plateaux et des montagnes, ils auraient des privilèges, dont personne avant eux n'aurait bénéficié, leur femme, leurs enfants et les enfants de leurs enfants seraient les plus heureux. Et aujourd'hui, les filles de ces hommes, pourquoi les filles et les mères sont-elles depuis toujours si préoccupées par la sépulture des pères et des fils et des frères, les femmes sont proches de la mort, des corps de la naissance et de la maladie, elles savent comme les magiciennes ce qui est le plus important ? Les filles de ces hommes trahis, combien de fois, courent sur des kilomètres, à travers les routes de ce pays, qui ne leur a pas donné une maison décente, pour que la terre étrangère ne leur soit pas hostile, pour qu'on ne les oublie pas, les filles et les sœurs traversent le pays à pied, pour ne pas perdre la mémoire de leurs pères et de leurs frères. Misérables dépouilles que personne n'honore, fleuries une fois par année, pour rappeler leurs erreurs et qu'ils sont morts comme des orphelins, dans la honte. Ces filles aiment leurs pères exclus, les sœurs aiment leurs frères déshérités, elles seules font encore dire des prières au carré des parias, d'autres hommes, mains jointes au-dessus des tombes, la paume ouverte vers le ciel, récitent la prière des morts, des frères d'infortune qui redoutent l'oubli des leurs et se hâtent d'accomplir le devoir de religion, d'autres le feront pour eux, s'ils ont des filles et des sœurs qui suivent la tradition, pour qu'ils ne soient pas maudits à leur mort et après, comme ils l'ont été vivants. Dans les villages et les petites villes où il s'est arrêté, sur la place en face du café, où il va seul ou accompagné, il y a des monuments aux morts. Il n'a jamais lu le nom d'un soldat d'outre-mer, mort pour ce pays. On a inscrit les noms des natifs, pas ceux qui venaient de loin, même s'ils sont tombés à l'endroit où s'élève la stèle. Dans le village natal ? Il ne retourne pas là-bas pour vérifier si le nom de ces morts figure sur des monuments qui n'existent plus, ou qui n'ont jamais existé. Sa femme lui demande pourquoi il parle de cela, quel rapport avec ce qu'elle lui a dit — Aucun — Il est parti, au matin, il n'avait pas parlé aussi longtemps à sa femme, lui parlait-il ? depuis plusieurs années.

3

L'homme a longé le fleuve jusqu'au café de la mer, et il est là, debout, seul dans l'aube marine, il n'a pas envie de pêcher, ses poèmes en morceaux dans les eaux croisées parviendront-ils intacts sur la rive opposée ? Si des troupes d'hirondelles happent, chacune dans son bec, un confetti sans le lâcher jusqu'au bord des ruines qu'elles connaissent, ou sur la terrasse de la grande maison, qui prendra la peine de ramasser de si minuscules papiers, pour reconstruire les poèmes jetés à la mer ? Si les hirondelles qui n'ont pas peur des sœurs déposent leur butin au pied du sanctuaire qu'elles occupent, que feront-elles de ces bribes fragiles ? La plus jeune, la seule lettrée, a deviné le message des hirondelles. Des poèmes d'outre-tombe. La femme s'assoit, les papiers épars offerts par les hirondelles parmi les ruines, elle les rassemble sur son tapis de prière, les observe, tente de déchiffrer les lettres tronquées, après plusieurs jours, par quelle magie chaque poème a-t-il retrouvé sa page ? Elle lit à ses sœurs, qui ne les comprennent pas, les vers transportés par les airs jusqu'à elles. Une nuit, la plus jeune des sœurs, seule, est allée jusqu'au village, personne ne l'a vue glisser sous le portail vert, qui n'a pas été gratté ni repeint comme il faudrait, les feuilles où le fils, de sa fine écriture illisible, a écrit des poèmes. L'homme ne remonte pas vers les ruines romaines entre les lauriers-roses. Il s'éloigne des eaux qui continuent à tourbillonner et qui l'emporteront, si Dieu le veut. Il longe le fleuve, personne ne marche à son pas de l'autre côté sur la berge. Il aperçoit les lumières du cabaret au bord de l'eau, le café chantant qui s'éteint au lever du soleil. Dans sa poche, contre les poèmes, il lui reste des billets, il n'a pas tout perdu aux dominos. Il vérifie, on le chassera comme un mendiant s'il entre là sans argent. Il entend la musique aigre et nasillarde des troupes qui traversaient le village vers les collines, des flûtes et des tambours venus du Grand Sud. Les hommes noirs habillés comme des guerriers musiciens lui faisaient un peu peur. La première fois, il avait peut-être trois ans, il n'a pas quitté sa mère, serrée contre les autres femmes de la maison sur le seuil du portail, ouvert sur les grands nègres dansant au milieu de la rue. Les musiciens du cabaret ne sont pas noirs. Trois hommes bruns, les mêmes depuis qu'il vient dans ce café chantant au bord du fleuve. Les femmes changent, mais pas celle qui tient la caisse du comptoir. Il ne l'a jamais vue debout. Il a remarqué ses robes de mousseline, les manches courtes un peu serrées aux bras, les bijoux en or. Elle a le cou blanc et gras dissimulé en partie par les colliers. Elle aime le rose, le vert, le mauve. Ses cheveux sont noirs, crantés sur le front. Elle est bavarde, c'est ainsi qu'il a appris que Soraya, la voyante, qui a disparu, mais il a confiance, elle l'avertira au moment voulu, elle l'a promis où qu'elle se trouve, il la croit, la patronne du cabaret lui a raconté que Soraya a passé plusieurs mois chez elle. Elle voulait la garder, elle plaisait aux hommes et elle aimait sa voix, mais elle n'est pas restée. Ce qu'elle est devenue ? Elle a pensé qu'elle reviendrait. C'est seulement dans les dernières semaines qu'elle a su que Soraya est née dans la même région qu'elle. Elles ont parlé des sœurs. L'homme l'écoute, il ne dit rien du village natal. La patronne du café chantant lui parle souvent parce qu'il ne l'interrompt pas comme les autres.

Elle dit qu'elle ne croit pas au pouvoir des sœurs. De pauvres vieilles, sans ressources, qui lavent les morts parce que dans les maisons où elles rendent ce service dont personne ne veut plus se charger, on les nourrit. Des femmes victimes du malheur. Pourquoi on les appelle les sœurs ? Personne ne sait rien d'elles. On raconte que l'aînée, celle qui marche avec une canne, la boiteuse, a eu sept fils et sept filles. Une mère heureuse, comblée, que les autres femmes et les épouses stériles enviaient. Elle vivait avec ses enfants et ses domestiques dans une maison grande comme un palais. Garçons et filles jouaient dans les jardins, les vergers, les grands bassins de mosaïques. Ils élevaient des animaux, des oiseaux rares, des gazelles, des paons, des colombes. Les garçons s'occupaient des chevaux et des faucons. Ils avaient des maîtres qui les instruisaient à domicile comme des princes. Pourquoi sa famille a-t-elle été ainsi frappée ? Nul ne le sait. Les femmes jalouses ont-elles enfin réussi à l'atteindre de leurs sorts ? Elles s'évertuaient, avec d'autres, à rompre le cours heureux de la famille élue. Les sept garçons et les sept filles sont morts, ensevelis, lors d'un tremblement de terre qui dura plusieurs jours. Seule la mère fut épargnée, mais il ne lui restait rien. Les habitants furent relogés, on lui avait réservé une chambre qu'elle n'occupa jamais. Personne dans la petite ville n'a su ce qu'elle est devenue.

C'est bien plus tard qu'on a cru la reconnaître dans la laveuse de morts qui a remplacé la dernière vieille du village. Les sœurs qui ne sont pas des sœurs sont de pauvres femmes un peu folles, inoffensives, ni magiciennes ni prêtresses, même pas un peu sorcières, des vagabondes qui font un travail honorable mais dégradant. C'est ainsi que les vivants peureux le pensent. La patronne affirme avec véhémence qu'elle ne les craint pas, et que si elles frappaient à sa porte, pourquoi cela n'arriverait-il pas, elles sont partout, pas seulement dans les ruines de la ville antique, elle ouvrirait elle-même, sachant reconnaître la canne de la plus vieille, elle leur donnerait l'hospitalité, elle commanderait à sa domestique noire qui l'a accompagnée ici et ne l'a jamais quittée, d'apporter, en même temps que les fruits et les gâteaux, l'eau chaude, les récipients, un pour chacune, les serviettes blanches, une pour chacune, et les plus jolies mules de maison, une paire pour chacune. Elle leur laverait les pieds, l'une après l'autre, ne laissant ce soin à personne, ni même à sa fidèle et douce négresse. Malgré ce que répète sa servante noire, ces femmes ne sont pas maléfiques. Elle leur offrira le pèlerinage aux Lieux Saints. Elle-même d'ailleurs, d'ici quelques années, vendra son commerce et avant de vieillir au village où elle fait construire une villa, sur les collines fraîches au-dessus des ruines, elle fera le pèlerinage. Dans sa ville coule un bras de la rivière qu'elle a eu l'autorisation de détourner, des amis haut placés viennent chez elle où ils passent plusieurs jours, nourris, logés, servis. La fille de l'un d'entre eux a frappé à sa porte un soir. Elle ne la connaissait pas. Elle a appris qu'elle sortait de prison, elle ne savait où aller, sans argent, sans ami. Elle ne lui a pas donné de travail, elle ne voulait pas d'une fille désaxée. Sa servante, un matin où elle faisait le ménage dans la chambre de la jeune fille, a trouvé une seringue sous le lit. Le soir même elle avouait tout, sa fugue, la drogue, la maladie, la prison, les parents de son ami qui étaient intervenus pour qu'elle reste incarcérée, l'enfant qu'elle n'a pas eu parce que le fœtus a pourri dans son ventre, il a fallu une intervention d'urgence, et cette maladie mortelle. Elle ne l'a pas chassée, la fille est partie une nuit, emportant ce qu'elle a pu trouver, son argent, quelques bijoux, heureusement les autres sont à la banque, elle n'a pas volé les clients. Son père la cherche, il ne la trouvera pas, il ne sait pas qu'elle sera morte d'ici quelques mois, on le lui a dit à la prison, elle est sortie avec l'adresse d'un foyer et elle est venue au cabaret. Si les sœurs avaient été là, elles auraient pris soin d'elle, de ses derniers jours, avec tendresse, elle en est sûre. Son corps n'aurait pas attendu, à la morgue de quelle ville, que personne ne vienne le reconnaître, on ne l'aurait pas enterrée à la hâte dans le coin des indigents, sans un témoin, avec son nom, son jeune âge. La patronne dit à l'homme que cette histoire est vraie, elle ne sait pas si la fille est vivante ou non, mais elle ne doute pas de ses malheurs ni de sa mort de vagabonde. Elle a vu passer chez elle d'autres femmes à qui elle a donné du travail, elle a fait ce qu'elle pouvait, leur vie des deux côtés de la mer avait été dramatique. Combien en a-t-elle recueilli, depuis qu'elle est propriétaire au bord du fleuve, comme si le cours de l'eau les aidait à parvenir jusqu'à sa porte ? Si les femmes qui travaillent chez elle, les femmes qui dansent et chantent pour les hommes, sont dans la détresse, les hommes le sentent, ils n'aiment pas cela, ils veulent des musiciennes rieuses, des danseuses jeunes et gracieuses, des femmes qui savent aussi parler et distraire, comment pourraient-ils être séduits, les désirer, si elles ne font pas croire au bonheur ? Elle en a sauvé ainsi plus d'une, mais elle n'a pu éviter le suicide d'une fille perdue comme les autres, et qui ne voulait plus vivre. Elle a cru qu'on l'obligerait à fermer le cabaret, mais des clients ont témoigné de sa bonne foi.

Du balcon de la fenêtre qui donne sur le fleuve, elle s'est jetée, et le courant l'a emportée. On a retrouvé son corps, il a fallu le reconnaître, elle portait la robe des soirs de fête, transparente et pailletée, ses cheveux étaient encore noués avec le long ruban brodé de fils d'or que lui avait offert un client. Elle s'est occupée d'expédier le cercueil à la famille. Elle s'est chargée de tout, expliquant que la jeune fille avait été victime d'un accident de la circulation, les autorités n'ont pas cherché à la contredire. Depuis ce jour, elle n'engage que des professionnelles. Les clients préfèrent.

L'homme s'assoit sur le coussin rouge qui recouvre le sofa de pierre, devant la petite table en marqueterie. Il fume et il boit. Une femme chante, il ne l'a pas regardée, la femme est une jeune fille. Loin du sofa, elle chante, dans la langue de sa mère, une complainte d'amour et de mort. Il la voit mal. Une silhouette frêle, dans une robe vert pâle légère comme une mousse, elle ne porte pas de bijoux, ils brilleraient à la lumière électrique qui dessine un cercle blanc sur le bois de la petite estrade. Ses cheveux sont blonds et frisés, retenus par un diadème étroit. Attentif à la voix, il ne la regarde pas. Ce qu'il a demandé au patron du café de la mer, il ne va pas en parler à la propriétaire du cabaret. Elle ne s'engagerait pas si facilement, pourtant, aller au fil de l'eau, sous les fenêtres de la maison éclairée où chante une si jeune fille, ou bien il faudrait vivre ici, l'entendre, elle seule, qu'elle reste à demeure, il paierait ce qu'il faut pour qu'elle chante jusqu'à sa mort, qu'elle ne s'arrête pas aussitôt, qu'il l'entende encore avant que le corps soit tout à fait froid et raide. Après... Qu'importe. Les hommes l'écoutent médusés. Elle est moins belle que les danseuses provocantes, au ventre rond et doux, blanc comme la plume de la colombe et agile. Ils ne disent rien. Lorsqu'une femme danse, ils l'excitent de la voix et battent des mains, c'est elle qui vient vers eux pour recevoir sur le front et dans l'échancrure du boléro les pièces et les billets. La chanteuse ne bouge pas. Droite sur l'estrade, elle chante. Les fenêtres sont ouvertes sur le fleuve. C'est l'été. Il fait frais, avant l'aube. Les hommes sont debout autour d'elle, lui se rapproche, regarde la jeune fille les yeux au loin vers les eaux du fleuve, comme si les hommes n'étaient pas présents, si prêts d'elle. Soudain, l'homme tressaille, recule, chancelant jusqu'au coussin rouge sur le sofa. Il n'était pas dans la grande maison lorsqu'elle est née, on ne lui donnait pas de nouvelles parce qu'il n'avait pas envoyé son adresse les premières années, il a su, par hasard, que son jeune frère avait eu une fille avant de venir ici pour travailler et mourir entre la terre et le ciel. Il a reconnu la fille de la petite cousine, la fille de son frère. Ses cheveux, les cheveux de sa mère qu'elle cachait sous ses foulards serrés aux tempes et sur le front. La fille ne pense pas comme sa mère que des cheveux frisés ne sont pas beaux. Il voit son visage entre deux épaules de clients. Elle chante encore, qu'elle chante jusqu'au lever du soleil, et qu'elle quitte aussitôt le cabaret, qu'il n'ait pas le temps de lui dire qui il est. L'un des hommes s'avance vers elle et pose sur son front perlé de sueur un sequin en or, puis deux, trois, d'autres en font autant. La jeune fille troublée s'interrompt, prend les pièces d'or dans sa main. Pourquoi a-t-elle cessé de chanter ? Elle sourit, secoue ses cheveux bouclés, essuie la sueur sur son front. Ses cheveux sont dorés comme sa voix. L'homme ferme les yeux, s'appuie contre la pierre. Elle chante à nouveau. Il a eu peur de ne plus l'entendre ni de la voir parmi les hommes. Elle est debout sur l'estrade, lumineuse. Sur la table marquetée, il se met à écrire, très vite. Personne ne le remarque. La patronne a quitté la caisse, elle se tient au bord de l'estrade, monu- mentale dans sa robe de mousseline rose froncée sous les seins, large sur les chevilles fines. Elle porte des mules de maison de la couleur de sa robe, ornées de perles et de duvet de cygne. Une seule flûte accompagne le chant. L'homme assis sur le sofa écrit, sans lever les yeux vers le groupe serré autour du halo de lumière. Il ignore si les sequins d'or sont des sequins ou des louis, comme ceux que sa mère a cachés dans ses bijoux, pour le premier fils de son fils ou la première fille. Bientôt le soleil. Et comment vivre sans la voix de la grande maison, car il entend une voix de l'enfance, des collines et de la mer. Revenir avec la voix, et qu'elle l'accompagne, même si une femme ne doit pas suivre le cortège funèbre ni pénétrer dans le cimetière, en même temps que les hommes et ceux qui récitent les prières, qu'elle ne le quitte pas, la voix tendre et claire, que celle qui chante ne couvre pas ses cheveux crépelés au front et aux tempes, sur la nuque, si elle les relève en chignon bouclé, qu'il entende dans la tombe, qu'il voie pour la dernière fois, sur la terre, avant d'être enfoui au plus profond, une femme, une jeune fille qui chante, le visage mouillé par l'embrun dans le cimetière marin, où elle se tient contre le mur du sanctuaire à la coupole blanche, là où sa mère réclame depuis de si nombreuses années d'être enterrée après que sa petite-fille, purifiée, l'aura veillée et parfumée, enfermée dans le linceul qu'elle aura seule le droit de toucher, et qu'elle la garde contre les sœurs puisque le fils, celui qui marche le long du fleuve, n'a pas tenu sa promesse. La jeune fille qui chante a-t-elle obéi à la vieille femme, trois jours et trois nuits, seule avec elle dans la chambre qui s'ouvre sur la fontaine, la protégeant des sœurs, debout toutes les trois derrière le portail vert ? Peut-être, à son chant, la fontaine a-t-elle coulé pendant trois jours et trois nuits. L'homme sur le sofa écrit, les autres lui tournent le dos. Le soleil va se lever, il se dépêche. Il écrit aussi longtemps que chante la jeune fille. Les feuilles à la main, il se lève, descend au sous-sol, entre dans les cabinets turcs, cogne la bouteille d'eau. Il déchire les poèmes en petits carrés réguliers qu'il jette dans le trou, jusqu'au dernier, soigneusement. La chasse d'eau est bruyante, efficace. Il regarde les morceaux de papier se répandre des deux côtés des pieds en faïence, sur lesquels sont tracés des damiers, puis s'engouffrer dans le trou, poussés par le jet d'eau. Il tire la chasse trois fois. La faïence est blanche et propre. La grande salle du cabaret est vide lorsqu'il remonte, la patronne dit qu'elle va fermer, elle est fatiguée. Elle n'a pas de chambre pour les clients, elle a donné celle de sa fille qui ne vient plus la voir à la jeune chanteuse qu'elle veut protéger contre les habitués du cabaret, sinon l'un d'eux, le plus riche, la gardera pour lui seul s'il l'épouse, ou il la fera travailler sous surveillance. Elle ne saura pas résister, qui lui a appris à se défendre, là où des filles comme elle ignorent la vie ? Elle ne lui a rien demandé, pourquoi elle est ici, d'où elle vient, qui est son père. Elle l'a entendue chanter à un mariage, une fois, dans une famille qui fait des affaires entre les deux pays, on lui donnait l'hospitalité contre sa voix, elle l'a invitée chez elle. Avant son pèlerinage, elle lui aura trouvé le mari idéal, qu'elle n'a pas réussi à découvrir pour elle-même, mais elle ne sait pas chanter aussi bien. Elle sera la meilleure cantatrice, elle voyagera dans le monde entier comme ces femmes qu'on voit à la télévision, elle sera invitée à des émissions où on entend, et on les voit, des cantatrices célèbres, des femmes noires d'Amérique, sa servante l'a appelée, un soir, à grands cris, pour voir une chanteuse noire, elle parlait une langue étrangère, on traduisait en même temps — C'était une femme impressionnante, grande et forte comme moi, elle portait une robe de scène drapée, brillante, elle était magnifique. Elle a chanté, debout devant le micro, on la voyait bien, on a éteint la télévision seulement quand elle est partie. Alors pourquoi pas, ma colombe ? Je la nourrirai bien, elle est un peu maigre, je ferai venir un professeur de chant, une femme, je préfère, la meilleure, je le saurai, le mari j'y penserai plus tard, si je fais tout pour elle, elle ne me trahira pas, on la verra sur les scènes les plus fameuses, partout dans le monde, et moi je pourrai aller, tranquille, aux Lieux Saints et dans mon village natal, elle viendra me voir là-bas, elle chantera pour nous, un grand spectacle dans le théâtre des ruines antiques, je veux assister à son triomphe, chez nous, avant ma mort, qu'on entende sa voix par-delà la mer et les collines, et dans le cimetière marin où je veillerai encore, sa voix parviendra au profond de la terre...

4

L'homme écoute la patronne, exaltée, il ne pense pas qu'elle délire, il croit ce qu'elle dit et que ce conte n'est pas un conte. Il sera présent ce soir-là et les suivants avec les femmes et les enfants de la grande maison, les hommes seront de retour, attirés eux aussi par la voix et le chant jeune, éclatant, le chant des Ancêtres du village et des terres de l'autre côté du rivage, chacun pensera qu'à cet instant même, la mort peut les prendre, et les sœurs, debout contre les cyprès du sanctuaire romain, écouteront la jeune fille qui chante, les enfants ne s'enfuiront pas, les femmes ne cacheront pas leur visage, les hommes se tairont, ils caresseront les cheveux des petits contre leurs jambes, sa mère elle-même ne sera plus hostile aux trois sœurs. La patronne sourit. Le soleil se lève sur le fleuve, une abeille vole au-dessus du romarin qui fleurit au bord de la fenêtre, ouverte sur l'eau. L'homme se dirige vers la porte, la femme l'accompagne, dans les gonflements de la robe de mousseline rose, une brise soudaine, alors que le fleuve est si calme. L'homme se fige en ouvrant la porte. La femme, près de lui, laisse échapper un petit cri. Les trois sœurs sont arrêtées sur le seuil. Elles viennent chercher la jeune fille, la fille de la petite cousine, sa mère la réclame. Elles ont marché dans ce pays étranger, en tous sens, elles savent qu'elle est dans cette maison du fleuve, et qu'elle dort encore. Elles attendront, elles ont le temps, elles ne veulent pas l'effrayer. La femme étend les bras, de son corps elle masque l'entrée, les vieilles n'entreront pas dans sa maison, elles n'enlèveront pas la jeune fille à qui elle donne l'hospitalité, qu'elles la prennent elle, elle a fini sa vie... Pourquoi sa protégée, si jeune, elle la conduira chez sa mère s'il le faut, elle se chargera de cette mission. Mais que les sœurs s'en aillent. Les vieilles ne bougent pas. La femme, les bras en croix, leur interdit sa maison. La mousseline de la robe gonfle, la brise devient plus violente, la fenêtre est obscurcie par un essaim d'abeilles qui grondent. L'homme qui gît sur le sol, en travers de la porte, revient à lui. Un tissu léger et rose effleure son visage. La patronne est agenouillée contre lui. Il demande si les sœurs sont parties, si elles ont emmené la fille de son frère, il veut la voir dormir avant de s'en aller, s'assurer qu'elle se repose dans la chambre, au-dessus de la grande salle. La femme l'aide à se relever, ils vont jusqu'à la chambre. Il ne voit pas le visage de la jeune fille, seulement les cheveux en boucles sur l'oreiller brodé d'arabesques en fils d'or. Il touche la chevelure, à peine, se tourne vers la femme qui bâille. Elle dit qu'elle va dormir sur le tapis, au pied du lit de la jeune fille, qu'il ne s'inquiète pas. Elle veille.

# 5

L'homme quitte le cabaret et marche sur la berge du fleuve, un matin d'été juste après l'aube. Un homme lui a demandé du feu dans sa langue, il n'a pas hésité, un inconnu. Ils sont restés silencieux un long moment, côte à côte allant du même pas. L'homme s'est mis à parler après le pont, comme s'il se parlait à lui-même, parfois une hirondelle passe à leurs pieds, pour saisir une plume blanche venue d'où, un fin duvet laissé là par les canards sauvages, à l'autre saison. Il parle d'un ami d'enfance, ils sont allés à l'école ensemble, l'été, ils gardaient les bêtes dans la montagne, ils se sont quittés au moment de la guerre, et ils se sont retrouvés dans le même réseau, l'un d'eux a failli mourir dans le maquis et l'autre en prison, où son ami l'a aidé jusqu'à la libération du pays où ils ne sont pas restés. Ils n'ont pas traversé la mer dans le même bateau, mais ils se sont rencontrés sur l'autre terre. Plus d'un demi-siècle comme des frères, et voilà que l'ami va le quitter. Il apprend qu'il est à l'hôpital, moribond.

Il ne le savait pas si malade. Il n'a pas pu lui parler, lorsqu'il est allé dans le pavillon où il avait été transporté d'urgence, il n'était plus conscient. Allait-il revenir à lui ? Il a pensé que oui, à cause du soleil, du ciel clair, le premier jour de l'été. Il s'est approché de lui, l'infirmière venait de fermer la porte, il s'est assis tout près et, penché à son oreille, il a récité plusieurs fois la prière des morts dans la langue des montagnes, la langue rude de l'enfance loin des plaines et des villes, les mots sacrés mêlés à ceux des bergers. Ses paupières et ses lèvres ont tressailli, il a entendu sa voix chuchoter les paroles amies glissées dans la prière. Il est mort le soir même de ce jour d'été, et ils ne s'étaient pas déclaré leur dernière volonté, ils n'y pensaient pas, ils avaient échappé si souvent à la mort... Quelques jours plus tard, c'est lui qui a tenu l'encensoir des cendres. La femme de son ami, elle n'était pas de la même langue, n'a pas voulu garder l'urne dans sa chambre. Dans un jardin, derrière, on éparpille les cendres du défunt sur un carré de terre, les cendres se sont répandues, légères, de la poudre sur la terre étrangère. Il ne l'a pas récitée à voix haute, en agitant l'encensoir, il a dit la prière des morts, plusieurs fois, comme à l'oreille de son ami. C'est arrivé il y a trois semaines. Sa femme est retournée au pays, sans lui, ses enfants vivent dans des pays étrangers. Il est seul. Il se demande si l'âme résiste au feu. L'homme qui fume des Gitanes maïs ne répond pas. Le compagnon du chemin de halage poursuit son monologue, il a beaucoup réfléchi à cette histoire de cendres, et d'urne, c'est moins lourd et moins cher qu'un cercueil plombé, parce que lui ne veut pas du carré réservé dans les cimetières d'ici. Il écrira à son fils aîné, pour lui expliquer, qu'il fasse comprendre à leur mère qu'il sera plus facile pour elle de recevoir une urne. Si elle refuse, au nom de Dieu, qu'il s'en charge lui-même, son fils ne peut que lui obéir, et qu'il enterre l'urne sous l'olivier centenaire, celui de l'Ancêtre, sur la colline à blé, qu'il demande à un homme pieux de veiller à la cérémonie funèbre, qu'elle se déroule suivant les règles, et qu'il plante un bâton d'olivier solide, sculpté avec son nom, la date de sa naissance et celle de sa mort, personne ne viendra profaner sa tombe, il le sait. Ce soir, il écrit à son fils pour lui dire cela, il est décidé, rien ne le fera changer d'avis. Et lui ? A-t-il réfléchi à ce jour ? L'homme ne répond pas, il marche plus vite. Sur la gauche, de l'autre côté de la route secondaire, un café vient d'ouvrir. Ils se disent adieu avec des paroles de bénédiction et le geste ancien de la main droite posée à l'endroit du cœur. Le compagnon traverse, entre dans le café, il ne se retourne pas.


6


L'homme poursuit son chemin le long du fleuve. Il fouille dans son portefeuille, d'où il sort la seule carte qui dise son nom. Il n'a pas d'autres papiers officiels, depuis des années ; il détache la photographie qu'il brûle avec son briquet sur la grille de fer qui dessine comme des damiers en rond au pied du tilleul ; il enfonce les cendres dans la terre, se penche vers le fleuve et lance la carte qu'il suit des yeux un moment. Lorsqu'elle a disparu, il se remet à marcher.

Une voix lui parvient. Jeune et claire, dorée comme la lumière du soleil sur le fleuve. Il marche plus vite. La fille de la petite cousine, sa nièce blonde et frisée, le café chantant au bord de l'eau, la voix de la grande maison et du cimetière marin.

Il marche, toujours plus vite.

## 7

L'homme agonise sur la rive étrangère.

À la courbe du fleuve, il tombe.

Dans la chambre blanche, sur l'autre rive, il n'est pas seul. Un homme, assis contre l'agonisant, murmure à son oreille la prière des morts, dans la langue de sa mère. Il la répète trois fois.

# Du même auteur

ESSAIS — *Traversières*, dialogue de Dominique Le Boucher avec Leïla Sebbar, photographies de Jacques Du Mont, Marsa, 2015. *Lettres parisiennes. Autopsie de l'exil*, avec Nancy Huston, J'ai lu, 1999 ; Barrault, 1986. *Le pédophile et la maman*, Stock, 1980. *On tue les petites filles*, Stock, 1978.

NOUVELLES — *L'Orient est rouge*, Elyzad, 2017. « Sur la colline, une koubba » dans la rééd. de *Je ne parle pas la langue de mon père* suivi de *L'Arabe comme un chant secret*, Bleu autour 2016. *La fille du métro*, monologue, dessins de Sébastien Pignon, Al-Manar-Alain Gorius, 2014. *Écrivain public*, Bleu autour, 2012. *Une femme à sa fenêtre, nouvelles du grand livre du monde*, dessins de Sébastien Pignon, Al Manar-Alain Gorius, 2010. *La Blanche et la Noire et Noyant d'Allier*, Bleu autour, 2008. *Le vagabond* et *Louisa*, Bleu autour, 2007. *Le peintre et son modèle*, photographies de Joël Leick, Al Manar-Alain Gorius, 2007. *Le ravin de la femme sauvage*, Thierry Magnier, 2007. *L'habit vert*, Thierry Magnier, 2006. *La jeune fille au balcon*, Points Seuil, 2006 ; Points virgule, 2001 ; Seuil, 1996. *Isabelle l'Algérien, Un portrait d'Isabelle Eberhardt*, dessins de Sébastien Pignon, Al Manar-Alain Gorius, 2005. *Soldats*, Seuil, 2004. *Sept filles*, Thierry Magnier, 2003. *Le baiser*, coll. « Courts Toujours », Hachette, 1997. *La Négresse à l'enfant*, Syros, 1990.

ROMANS — *Le silence des rives*, Elyzad poche 2018 ; Stock, 1993 (Prix Kateb Yacine). *Parle à ta mère*, Elyzad poche 2016 ; paru sous le titre *Parle mon fils, parle à ta mère,* Thierry Magnier, 2005 ; Stock, 1984. *Marguerite ou le colporteur aux yeux clairs*, Elyzad poche, 2014 ; paru sous le titre *Marguerite*, Babel Junior/Actes Sud, 2007 ; Folies d'encre, Eden, 2002. La trilogie *Shérazade*, Bleu autour, 2012 ; Stock, 1990, 1985, 1982. *Mon cher fils*, Elyzad poche, 2012 ; Elyzad, 2009. *La confession d'un fou*, Bleu autour, 2011. *Shérazade, 17 ans, brune, frisée, les yeux verts,* Bleu autour, 2010 ; Stock, 1982. *Fatima ou les Algériennes au square*, Elyzad poche, 2010 ; Stock, 1981. *Les femmes au bain*, Bleu autour, 2009, 2006. *La Seine était rouge. Paris, octobre 1961*, Babel/Actes Sud, 2009 ; Thierry Magnier, 2003, 1999. *Le Chinois vert d'Afrique*, Folies d'encre, Eden, 2002 ; Stock, 1984. *Le Fou de Shérazade*, Stock, 1991. *J.H. cherche âme-sœur*, Stock, 1987. *Les carnets de Shérazade*, Stock, 1985.

AUTOBIOGRAPHIE — *Je ne parle pas la langue de mon père*, réédition avec commentaires critiques, aquarelles de Sébastien Pignon, cahier photos, Bleu autour, 2016, Julliard, 2003, suivi de *L'arabe comme un chant secret*, Bleu autour, 2016, 2010, 2007.

RECUEILS DE NOUVELLES ET DE RÉCITS AUTOBIO-GRAPHIQUES (textes inédits sous la dir. de Leïla Sebbar) — *Une enfance dans la guerre. Algérie 1954-1962*, dessins de Sébastien Pignon, Bleu autour, 2016. *L'enfance des Français d'Algérie avant 1962*, dessins de Sébastien Pignon, Bleu autour, 2015. *Le pays natal*, Elyzad, 2013. *Une enfance juive en Méditerranée musulmane*, Bleu autour, 2012. *Enfances tunisiennes*, avec Sophie Bessis, Elyzad, 2010. *Une enfance corse*, avec Jean-Pierre Castellani, Bleu autour, 2010. *Aflou, Djebel amour*, avec Jean-Claude Gueneau et Nora Aceval, Bleu autour, 2010. *Ma mère*, Chèvre-feuille étoilée, 2008. *C'était leur France. En Algérie avant l'indépendance*, coll. « Témoins », Gallimard, 2007. *Mon père*, Chèvre-feuille étoilée, 2007. *Les Algériens au café*, dessins de Sébastien Pignon, Al Manar-Alain Gorius, 2003. *Une enfance d'ailleurs, 17 écrivains racontent*, avec Nancy Huston, J'ai lu, 2002 ; Belfond, 1993. *Une enfance outremer*, Points Virgule/Seuil, 2001. *Une enfance algérienne*, coll. « Haute Enfance », Folio, 1999 ; Gallimard, 1997. *Algérie*, Le Fennec, 1995.

*Recluses et vagabondes*, avec Nancy Huston, Les Cahiers du GRIF, 1988. *Petites filles en éducation*, Les Temps modernes, 1976.

CARNETS DE VOYAGES (textes et images) — *Le pays de ma mère. Voyage en Frances*, Bleu autour, 2013. *Voyage en Algéries autour de ma chambre*, Abécédaire, Bleu autour, 2008. *Métro, Instantanés*, coll. « Esprits libres » Chantal Chawaff, Le Rocher, 2007. *Journal de mes Algéries en France*, Bleu autour, 2005. *Mes Algéries en France*, préface de Michelle Perrot, Bleu autour, 2004.

ALBUMS DE PHOTOGRAPHIES — *Algériens, frères de sang : Jean Sénac, lieux de mémoire*, avec Yves Jeanmougin, Métamorphoses, 2005. *Femmes d'Afrique du Nord. Cartes postales (1885-1930)*, avec Christelle Taraud, Jean-Michel Belorgey, Bleu Autour, 2002. *Vivre par terre*, avec Philippe Castetbon, Tirésias, 2002. *Val-Nord. Fragments de banlieue*, avec Gilles Larvor, Au nom de la mémoire, 1998. *Marseille-Marseilles*, avec Yves Jeanmougin, Parenthèses, 1992. *Femmes des hauts-plateaux, Algérie 1960*, avec Marc Garanger, La boîte à documents, 1990. *Génération métisse*, avec Amadou Gaye, Syros, 1988. *Des femmes dans la maison. Anatomie de la vie domestique*, avec Dominique Doan, Luce Pénot, Dominique Pujebet, Nathan, 1981.

JEUNESSE — *J'étais enfant en Algérie. Juin 1962*, éd. du Sorbier, 2001. *Ismaël*, Je Bouquine, illustrations de Tito, Bayard Presse, 1986.

Plusieurs thèses et essais ont été consacrés à son œuvre (USA, Angleterre, Allemagne, Maghreb, France, etc.).

Des essais et des romans ont été traduits en italien, anglais, néerlandais ; des nouvelles ont été traduites en arabe, allemand, anglais, catalan, italien, tchèque, norvégien.

Une bibliographie détaillée est disponible sur le site http : //clicnet.swarthmore.edu/leila_sebbar

Composition : Elyzad
Achevé d'imprimer sur les presses de Simpact
Dépôt légal : deuxième trimestre 2018
*Imprimé en Tunisie*
ISBN 978-9973-58-107-5